Stefanie Hellmann

Formulierungshilfen für die Pflegeplanung nach den AEDL's

Checklisten für die tägliche Praxis

3., überarbeitete Auflage

BRIGITTE KUNZ VERLAG

Bibliografische Information Der Deutschen Bibliothek
Die Deutsche Bibliothek verzeichnet diese Publikation in der Deutschen Nationalbibliografie; detaillierte bibliografische Daten sind im Internet über http://dnb.ddb.de abrufbar.
ISBN 3-87706-742-5

Anschrift der Autorin
Stefanie Hellmann
Auf der Hut 18 b
91301 Forchheim

Mehr wissen – besser pflegen!
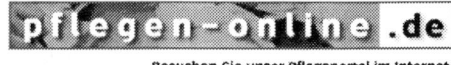
Besuchen Sie unser Pflegeportal im Internet.

Brigitte Kunz Verlag

© 2003, Schlütersche GmbH & Co. KG, Verlag und Druckerei, Hans-Böckler-Allee 7, 30173 Hannover

Alle Rechte vorbehalten. Das Werk ist urheberrechtlich geschützt. Jede Verwertung außerhalb der gesetzlich geregelten Fälle muss vom Verlag schriftlich geregelt werden. Eine Markenbezeichnung kann warenrechtlich geschützt werden, ohne dass dies besonders gekennzeichnet wurde.

Die im Folgenden verwendeten Personen- und Berufsbezeichnungen stehen immer gleichwertig für beide Geschlechter, auch wenn sie nur in einer Form benannt sind.

Satz: PER Digitaler Workflow GmbH, Braunschweig
Druck und Bindung: Druck Thiebes GmbH, Hagen

Inhaltsverzeichnis

1.	Vorwort	7
2.	Pflegedokumentation	8
2.1	Bewohner-/Patientenbezogene Ziele	8
2.2	Mitarbeiterbezogene Ziele	8
3.	Pflegeplanung	9
4.	AEDL nach Krohwinkel	10
4.1	AEDL – Kommunikation/Orientierung	10
4.2	AEDL – Sich bewegen	14
4.3	AEDL – Vitale Funktionen des Lebens aufrechterhalten	18
4.4	AEDL – Sich pflegen	22
4.5	AEDL – Essen und Trinken	26
4.6	AEDL – Ausscheiden	30
4.7	AEDL – Sich kleiden	34
4.8	AEDL – Ruhen, schlafen, entspannen	36
4.9	AEDL – Sich beschäftigen	38
4.10	AEDL – Sich als Mann oder Frau fühlen	40
4.11	AEDL – Für eine sichere Umgebung sorgen	42
4.12	AEDL – Soziale Bereiche des Lebens sichern	44
4.13	AEDL – Mit existenziellen Erfahrungen des Lebens umgehen	46
5.	Zielformulierungen zu den einzelnen AEDL	50
5.1	Kommunikation/Orientierung	50
5.2	Sich bewegen	51
5.3	Vitale Funktionen des Lebens aufrechterhalten	51
5.4	Sich pflegen	52
5.5	Essen und Trinken	52
5.6	Ausscheiden	53
5.7	Sich kleiden	54
5.8	Ruhen, schlafen, entspannen	54
5.9	Sich beschäftigen	54
5.10	Sich als Mann oder Frau fühlen	55
5.11	Für eine sichere Umgebung sorgen	55

5.12	Soziale Bereiche des Lebens sichern	56
5.13	Mit existenziellen Erfahrungen des Lebens umgehen	56
6.	**Krankheitsbilder mit individuellen Pflegeplanungsformulierungen**	58
6.1	Diabetes mellitus	58
6.2	Schlaganfall	60
6.3	Parkinson	64
6.4	Vergesslichkeit, Verwirrtheit, Demenz	68
6.5	Suchterkrankung	72
6.6	Leberzirrhose	74
6.7	Hirnorganisches Psychosyndrom	76
6.8	Wahnvorstellungen	78
6.9	Depression	80
6.10	Osteoporose	82
7.	**Muster einer fertigen Pflegeplanung**	84

Das Modell der Aktivitäten und existenziellen Erfahrungen nach Monika Krohwinkel ... 92

Literaturangaben ... 94

Stichwortverzeichnis ... 95

1. Vorwort

Die Frage, wie sich die Qualität der Pflege sichern lässt, beschäftigt die Pflegefachwelt schon mehrere Jahre.
Seit Einführung des Pflegeversicherungsgesetzes (SGB XI) wurde im § 80 (Qualitätssicherung) versucht, diesem Anliegen gerecht zu werden. Die Pflegeplanung stellt neben der Pflegedokumentation und den Standards die wichtigsten Faktoren der Qualitätssicherung dar.
Alle Pflegeeinrichtungen und Pflegedienste werden durch § 80 verpflichtet im Rahmen der Qualitätssicherung eine Pflegeplanung zu erstellen. Qualitätssicherung heißt nicht unbedingt wir verbessern unsere Arbeit, sondern zusätzlich zur eigentlichen Pflege kommt immer mehr Schreibarbeit hinzu. Diese Schreibarbeit dient der rechtlichen Absicherung und Darstellung der erbrachten Pflegeleistung. Ebenso werden die individuellen Probleme und Ressourcen der zu Pflegenden aufgezeigt.
Mit den Formulierungshilfen gebe ich den Einrichtungen und ihren Mitarbeitern ein Instrument an die Hand, mit dessen Hilfe sie die Pflegeplanung verbessern und optimieren können.
Anhand von Checklisten, die nach den einzelnen AEDL's und Krankheitsbildern gestaltet sind, werden die Pflegenden in der Lage sein in kürzester Zeit die aktuellen Probleme, Ressourcen, Ziele, Maßnahmen für den einzelnen Bewohner/Patienten zu ermitteln.
Die fertigen Formulierungshilfen sollen all denen eine Hilfestellung sein, die sich mit der Thematik Pflegeplanung in der täglichen Arbeit beschäftigen.
Danken möchte ich Herrn Lukas und meiner Kollegin Petra Kundmüller, die mich bei der Erstellung der Checklisten unterstützt haben.

Vorgehensweise
Die Pflegenden gehen anhand der Checklisten, die jeweils nach den einzelnen AEDL's gestaltet sind, vor. Nach Erarbeitung aller 13 AEDL's hat der Pflegende sowohl die aktuelle Anamnese als auch die Formulierungen für die Pflegeplanung. Diese müssen in die Pflegeplanung, welche jeweils in den Einrichtungen vorliegen, eingetragen werden.
Die Krankheitsbilder stellen bei der Erarbeitung der Pflegeplanung eine zusätzliche Hilfe dar.

2. Pflegedokumentation

Pflegedokumentation als ein Element der Qualitätssicherung

Die Pflegedokumentation gibt Auskunft über die Art der Beziehung zwischen den Bewohnern und Pflegenden und über die Durchführung der Pflege.
Sie kann daher als Instrument der Qualitätssicherung genutzt werden. Hieraus ergeben sich folgende Ziele:

2.1 Bewohner-/Patientenbezogene Ziele

- Darstellung einer individuellen, am aktuellen Pflege- und Versorgungsbedarf orientierte Pflege.
- Kontinuierliche Verbesserung der Pflegequalität, dies dient zur Aufrechterhaltung und Verbesserung bzw. Förderung der Lebensqualität des einzelnen Menschen.
- Berücksichtigung der Fähigkeiten des einzelnen Menschen zur eigenen Pflege.
- Berücksichtigung der Bewältigungsstrategien des Menschen beim Umgang mit Beeinträchtigungen.

2.2 Mitarbeiterbezogene Ziele

- Sicherung und kontinuierliche Verbesserung der beruflichen, sozialen und methodischen Handlungskompetenzen.
- Förderung der Übernahme von Verantwortung für die eigene Arbeit.
- Stärkung der beruflichen Identität.
- Verbesserung der Kommunikation/Information untereinander und mit den anderen an der Versorgung Beteiligten
- Erhöhung der Arbeitszufriedenheit.

3. Pflegeplanung

Die Pflegeplanung ist ein Arbeitsinstrument professioneller Pflege. Es wird die Gesamtpflegebedürftigkeit anhand eines pflegewissenschaftlichen Pflegemodells hier nach Monika Krohwinkel ermittelt.
Hier werden die individuellen Pflegeprobleme des einzelnen Bewohners/Patienten/Kunden festgestellt.
Die Ressourcen sind Fähigkeiten, Fertigkeiten, die der einzelne Mensch im Bezug auf seine Pflegebedürftigkeit zur Bewältigung seiner Lebenssituation sowie Lebensmotivation besitzt.
Pflegeziele sollen erreichbar und realistisch sowie überprüfbar sein.
Die Pflegemaßnahmen beschreiben die Vorgehensweise der Pflegenden:
- Was ist zu tun? Konkrete Festlegung einzelner Pflegemaßnahmen.
- Wie ist es zu tun? Kurze Beschreibung der Pflegemaßnahme, wenn möglich mit Pflegestandards.
- Wann oder wie oft ist es zu tun? Zeitangabe und Häufigkeit der Pflegemaßnahme.
- Wer soll es tun? Hier sollen die unterschiedlichen Qualifikationen der Mitarbeiter beachtet werden. Die Pflegefachkraft ist verantwortlich für die sachgerechten Eintragungen durch den Mitarbeiter.

Die Maßnahmen sollen für alle, an der Pflege Beteiligten verbindlich sein.

Reflexion der Pflege
- Eine Reflexion der Pflegemaßnahmen erfolgt kontinuierlich, gegebenenfalls werden die Probleme, Ressourcen entsprechende Ziele und Maßnahmen neu überarbeitet, unter Einbeziehung der Bewohner/Patienten/Kunden oder Bezugspersonen.

Die Formulierungshilfen für die Pflegeplanung sind für alle Pflegenden ein Hilfsmittel, um eine professionelle Pflegeplanung zu erstellen.
Die Pflegeplanung muss der Entwicklung des Pflegeprozesses entsprechen und kontinuierlich aktualisiert werden.

4. AEDL nach Krohwinkel

4.1 AEDL – Kommunikation/Orientierung

Name:
Zimmer:
Datum:
Pflegekraft:

Probleme	Ressourcen	Ziele
Hören	**Hören**	
☐ Schwerhörigkeit	☐ Verständigung durch lautes Sprechen möglich	Förderung der
☐ Taubheit		
☐ Vorhandenes Hörgerät kann nicht gehandhabt / akzeptiert werden	☐ Verständigung durch Hilfsmittel (Hörgerät) möglich	
☐ Hörgerät wird nicht benutzt	☐ Verständigung durch lautes / deutliches Sprechen (Ablesen von den Lippen möglich)	Erhaltung der
	☐ Kann lesen	
	☐ Kann schreiben	
	☐ Kann sich nur durch Mimik / Gestik verständigen	Wiederherstellung
	☐ Reagiert auf Ansprache und Geräusche	
	☐ Bemüht sich Neues zu erlernen	
		Linderung
Sprechen	**Sprechen**	
☐ Kann sich verbal nicht äußern	☐ Kann sprechen	
	☐ Sprachfähigkeit teilweise erhalten	
☐ Reagiert mit Wut und Trauer	☐ Versteht und spricht einige Worte	Vermeidung
☐ Sprachstörungen (stottern, stammeln, Wortfindungsstörungen	☐ Kann sich durch Gestik / Mimik verständigen	
☐ Spricht zu leise, unverständlich	☐ Kann sich mitteilen	
☐ Kann deutsche Sprache nicht oder nur bruchteilhaft verstehen / sprechen	☐ Verständigung durch Hilfsmittel (Schreibutensilien) möglich	Sonstiges
☐ Kann nur undeutlich wegen schlecht sitzendem Zahnersatz sprechen	☐ Kann lesen	
	☐ Kann schreiben	
☐ Traut sich wegen schlecht sitzendem Zahnersatz nicht zu sprechen	☐ Bemüht sich Neues zu erlernen	

Probleme	Ressourcen	Ziele
Sehen	**Sehen**	
☐ Hat eingeschränktes Sehvermögen	☐ Nimmt Hilfsmittel / Orientierungshilfen an (Leselupe, Hörgerät,...)	
☐ Hat eingeschränktes Sehvermögen, trotz optimaler Sehhilfe	☐ Hat gut ausgebildeten Tastsinn	
☐ Augenerkrankung	☐ Bemüht sich Neues zu erlernen	
☐ Grauer Star / Grüner Star		
☐ Altersbedingte Durchblutungsstörung der Netzhaut	☐ Art und Weise der Kommunikation	
☐ Trockenheit der Augen	☐ Akzeptiert Regeln der Kommunikation	
☐ Ist blind		
☐ Hat eine Sichtfeldeinschränkung		
☐ Kann nicht lesen		
☐ Kann nicht schreiben		
☐ Art und Weise der Kommunikation		
☐ Spricht erniedrigend, entwertend	☐ Nonverbale Kommunikation	
☐ Aggressives Kommunikationsverhalten		
☐ Nonverbale Kommunikation		
☐ Vollständige Lähmung		
☐ Kann sich nur mit Mimik / Gestik verständigen		
Orientierung	**Orientierung**	
☐ Zeitlich teilweise orientiert	☐ Zeitlich teilweise orientiert	
☐ Zeitlich nicht orientiert	☐ Persönlich teilweise orientiert	
☐ Persönlich teilweise orientiert	☐ Örtlich teilweise orientiert	
☐ Persönlich nicht orientiert	☐ Situativ teilweise orientiert	
☐ Örtlich teilweise orientiert	☐ Ist orientiert	
☐ Örtlich nicht orientiert	☐ Kennt Personen und Gegenstände	
☐ Situativ teilweise orientiert		
☐ Situativ nicht orientiert	☐ Freut sich, wenn Besuch kommt	
☐ Wahrnehmungsstörungen		
Sonstiges	Sonstiges	

Maßnahmen	PS	Häufigkeit	Form der Hilfe

Hören

- ☐ Hilfestellung zur Verfügung stellen (Schreibutensilien, Hörgerät)
- ☐ Art der Hilfsmittel
- ☐ Hörgeräte einsetzen / entfernen
- ☐ Unterstützen bei Hilfsmitteleinsatz (Hörgerät)
- ☐ Betont artikuliert sprechen
- ☐ Nonverbale Kommunikation
- ☐ Blickkontakt herstellen
- ☐ Informationen schriftlich mitteilen

Sprechen

- ☐ Blickkontakt herstellen
- ☐ Informationen schriftlich mitteilen, z.B. Tafel und Symbole
- ☐ Sprachübungen anregen / durchführen
- ☐ Nur direkte Fragen stellen
- ☐ Kurze klare Sätze sprechen
- ☐ Aktives Zuhören
- ☐ Anleitung / Unterstützung bei Hilfsmitteleinsatz (Sprechkanülen)
- ☐ Art der Hilfsmittel
- ☐ Auf gut sitzenden Zahnersatz achten
- ☐ Zum Sprechen motivieren
- ☐ Zeit lassen beim Sprechen
- ☐ Bei Fremdsprache für geeignete Übersetzung sorgen

Sehen

- ☐ Anleitung, die täglichen Verrichtungen selbstständig durchzuführen
- ☐ Hilfestellung geben, z.B. Brille aufsetzen
- ☐ Art und Weise der Kommunikation

- ☐ Nonverbale Kommunikation

Maßnahmen	PS	Häufigkeit	Form der Hilfe
Orientierung ☐ Orientierungshilfen geben (Kalender, Uhr, Farben, Wege) ☐ Art der Hilfsmittel: _____ _____ _____			
☐ Beaufsichtigung des Bewohners / Patienten ☐ Gegenstände an vereinbarten Orten hinterlegen und absichern _____ _____			
☐ Für gleichbleibenden Tagesablauf sorgen ☐ Situation erklären ☐ Gedächtnistraining ☐ Angehörige / Bezugsperson mit einbeziehen ☐ Für regelmäßige Augenarztkontrollen sorgen			
Einschalten weiterer Berufsgruppen _____ _____			
Sonstiges _____ _____			

4.2 AEDL – Sich bewegen

Name:
Zimmer:
Datum:
Pflegekraft:

Probleme	Ressourcen	Ziele
Kann nicht alleine ☐ Gehen ☐ Stehen ☐ Sitzen ☐ Treppensteigen	☐ Kann mit Hilfe gehen ☐ Kann mit Hilfe stehen ☐ Kann mit Hilfe sitzen ☐ Kann mit Hilfe Treppensteigen	Förderung der Erhaltung der
Kann nicht ☐ Gehen ☐ Stehen ☐ Sitzen ☐ Treppensteigen	☐ Kann Extremitäten bewegen ☐ Kann Oberkörper, Arme, Kopf bewegen ☐ Kann Beine bewegen ☐ Kann sich drehen ☐ Ist motiviert- will sich bewegen ☐ Kann alleine Bett verlassen	Wiederherstellung Linderung
Kann nicht bewegen ☐ Kopf ☐ Rumpf ☐ Extremitäten	☐ Kann sich selbstständig im Rollstuhl fortbewegen ☐ Kann sich selbstständig mit Gehhilfen fortbewegen	Vermeidung Sonstiges
Kann teilweise bewegen ☐ Kopf ☐ Rumpf ☐ Extremitäten	☐ Schätzt seine / ihre Situation realistisch ein ☐ Kann Wohnung alleine verlassen ☐ Geht gerne spazieren ☐ Kann sich selbstständig bewegen	
Bettlägerigkeit ☐ Fest bettlägerig ☐ Kann Lage im Bett nicht selbstständig verändern ☐ Kann nicht selbstständig ☐ Aufstehen ☐ Zubettgehen	☐ Äußert Schmerzlinderung und Muskelentspannung Sonstiges	

| Probleme | Ressourcen | Ziele |
|---|---|---|//

Gangart
- ☐ Langsam
- ☐ Kraftlos
- ☐ Schlurfend
- ☐ Unsicher
- ☐ Trippelnd
- ☐ Fehlende Gelenkbeweglichkeit / Kontrakturen

Bewegungsstörung
- ☐ Gesteigerter Bewegungsdrang
- ☐ Leidet unter Bewegungsarmut / Bewegungsmangel
- ☐ Koordinationsstörungen
- ☐ Sturzgefahr
- ☐ Gleichgewichtsstörungen
- ☐ Kraftlosigkeit und muskuläre Schwächen

Sonstiges

Maßnahmen	PS	Häufigkeit	Form der Hilfe
Hilfestellung beim ☐ Gehen ☐ Stehen ☐ Sitzen ☐ Treppensteigen ☐ Eine Pflegekraft erforderlich ☐ Zwei Pflegekräfte erforderlich			
Hilfestellung beim Transfer ☐ Vollübernahme des Transfers ☐ Bett ☐ Stuhl ☐ Rollstuhl ☐ Toilette ☐ Bad ☐ Dusche ☐ Eine Pflegekraft erforderlich ☐ Zwei Pflegekräfte erforderlich			
Art der Hilfsmittel, z.B. ☐ Badelifter _____ _____ _____			
Lagerung ☐ Art der Lagerung, z.B. ☐ 30 Grad Lagerung ☐ Anleitung zur Lagerung _____ ☐ Eine Pflegekraft erforderlich ☐ Zwei Pflegekräfte erforderlich _____			

Maßnahmen	PS	Häufigkeit	Form der Hilfe
Art der Hilfsmittel, z.B. ☐ Lagerungskissen _____ _____ _____			
Aktive Bewegungsübungen ☐ Übungen beschreiben _____ _____			
Passive Bewegungsübungen ☐ Übungen beschreiben _____ _____			
☐ Eine Pflegekraft erforderlich ☐ Zwei Pflegekräfte erforderlich ☐ Auf Dekubituszeichen achten ☐ Schmerzen lindern ☐ Ärztliche Anordnung ausführen			
Einschalten weiterer Berufsgruppen _____ _____			
Sonstiges _____ _____			

4.3 AEDL – Vitale Funktionen des Lebens aufrechterhalten

Name:
Zimmer:
Datum:
Pflegekraft:

Probleme	Ressourcen	Ziele
Wärme- und Kälteempfinden ☐ Friert leicht ☐ Hat ständig kalte Füße ☐ Hat ständig kalte Hände ☐ Durchblutungsstörungen ☐ Starke Schweißabsonderungen _____ _____	☐ Ist kooperativ ☐ Nimmt Hilfestellung an ☐ Ist motiviert sich mit seiner / ihrer Situation auseinander zu setzen ☐ Kann sich mitteilen ☐ Ist mobil ☐ Ist orientiert ☐ Kennt seine / ihre körperliche Belastbarkeit und Fähigkeit ☐ Kann Flüssigkeit zu sich nehmen ☐ Akzeptiert Hilfsmittel wie Inhalator	Förderung der Erhaltung der Wiederherstellung
Herz-Kreislauf ☐ Hypertonie ☐ Hypotonie ☐ Herzklopfen ☐ Nasenbluten ☐ Schwindel ☐ Ohrensausen _____ _____	☐ Sauerstoffgerät ☐ Absauggerät ☐ Kann Situation einschätzen, bleibt ruhig und gelassen ☐ Akzeptiert seine / ihre Einschränkungen ☐ Kann mit Einschränkungen umgehen (Aufsetzen bei Atemnot) Sonstiges	Linderung Vermeidung
Bewusstsein ☐ Benommenheit ☐ Gedächtnisstörungen ☐ Nervosität ☐ Schlafstörungen ☐ Müdigkeit ☐ Mattigkeit ☐ Kopfschmerzen _____ _____		Sonstiges

Probleme	Ressourcen	Ziele

Ernährungszustand
- ☐ Adipositas
- ☐ Unterernährung
- ☐ Kachektisch

_____

_____

Atmung
- ☐ Atemnot
- ☐ Sauerstoffmangel
- ☐ Hat verschleimte Atemwege
- ☐ Husten und Atemgeräusche
- ☐ Schmerzen beim Atmen
- ☐ Oberflächliche Atmung
- ☐ Atemnot bei Angst und Erregungszuständen

_____

_____

Sonstiges

Maßnahmen	PS	Häufigkeit	Form der Hilfe
☐ Verabreichen der verordneten Medikamente ☐ Unterstützung bei Ausführungen der ärztlichen Anordnungen ☐ Blutzuckermessung nach ärztlicher Anordnung ☐ Blutdruckmessung nach ärztlicher Anordnung ☐ Pulsmessung			
☐ Temperaturmessung ☐ Physikalische Maßnahmen			
☐ Kreislauffördernde Waschungen			
☐ Hilfestellung beim Abhusten ☐ Sekret absaugen ☐ Unterstützen bei der Inhalation ☐ Inhalieren ☐ Sauerstoffgerät bereitstellen ☐ Luftbefeuchtung ☐ Atemstimulierende Einreibungen ☐ Atmungsfördernde Bewegungsübungen im Rahmen der Pflege ☐ Schleimlösende Tees anbieten ☐ Lagerung zur Erleichterung des Atmens			

Maßnahmen	PS	Häufigkeit	Form der Hilfe
☐ Ausscheidungen überprüfen auf Menge, Konsistenz, Farbe _____ _____			
☐ Aromatherapie _____ _____			
☐ Hochlagern der Beine ☐ Angemessene Flüssigkeitszufuhr ☐ Beruhigende Gespräche ☐ Beratung bezüglich des Umgangs mit der Erkrankung _____ _____			
Einschalten weiterer Berufsgruppen _____ _____			
Sonstiges _____ _____ _____ _____			

4.4 AEDL – Sich pflegen

Name:
Zimmer:
Datum:
Pflegekraft:

Probleme	Ressourcen	Ziele
Kann sich nicht ohne Hilfe ☐ Waschen ☐ Baden ☐ Haare waschen ☐ Rasieren ☐ Fuß- und Fingernägel pflegen ☐ Ohren pflegen ☐ Nase pflegen ☐ Augen pflegen ☐ Mund pflegen ☐ Zähne pflegen ☐ Prothese pflegen ☐ Intimbereich pflegen _____ _____	**Kann selbstständig durchführen** ☐ Gesicht waschen ☐ Arme waschen ☐ Beine waschen ☐ Oberkörper vorne waschen ☐ Mundpflege ☐ Zahnpflege ☐ Prothesenpflege ☐ Intimpflege ☐ Nagelpflege ☐ Ohrenpflege ☐ Mundpflege ☐ Augenpflege ☐ Rasieren ☐ Haare waschen ☐ Haare kämmen	Förderung der Erhaltung der Wiederherstellung Linderung
Kann sich nicht ☐ Waschen ☐ Baden ☐ Haare waschen ☐ Rasieren ☐ Fuß- und Fingernägel pflegen ☐ Ohren pflegen ☐ Nase pflegen ☐ Augen pflegen ☐ Mund pflegen ☐ Zähne pflegen ☐ Prothese pflegen ☐ Intimbereich pflegen ☐ Eincremen ☐ Lippen pflegen _____ _____	_____ _____ **kann teilweise durchführen** ☐ Gesicht waschen ☐ Arme waschen ☐ Beine waschen ☐ Oberkörper vorne waschen ☐ Mundpflege ☐ Zahnpflege ☐ Prothesenpflege ☐ Intimpflege ☐ Nagelpflege ☐ Ohrenpflege ☐ Mundpflege ☐ Augenpflege ☐ Rasieren ☐ Haare waschen ☐ Haare kämmen	Vermeidung Sonstiges

Probleme	Ressourcen	Ziele
Sonstige ☐ Kann den Ablauf der Körperpflege nicht selbstständig koordinieren ☐ Sieht die Notwendigkeit der Körperpflege nicht ein	☐ keine Ressourcen Sonstiges	
Hautzustand ☐ Dünne trockene Altershaut ☐ Hautrisse ☐ Rötung ☐ Ödeme ☐ Schuppenbildung ☐ Blasenbildung ☐ Allergie ☐ Rissige Lippen ☐ Trockene Lippen ☐ Neigt zu starkem Schwitzen ☐ Juckreiz ☐ Hautabschürfungen ☐ Dekubitus ☐ Aussehen / Lage Sonstiges		

Maßnahmen	PS	Häufigkeit	Form der Hilfe
Körperpflege ☐ Duschen ☐ Baden ☐ Waschung im Bett ☐ Intimpflege im Bett ☐ Intimpflege am Waschbecken ☐ Waschung am Waschbecken ☐ Verwendete Pflegemittel 			
Pflege von ☐ Gesicht ☐ Armen ☐ Beinen ☐ Oberkörper ☐ Rücken 			
Pflege von ☐ Mund ☐ Zähnen ☐ Prothese ☐ Intimbereich ☐ Nägeln ☐ Ohren ☐ Nase ☐ Augen ☐ Lippen ☐ Bart / Rasur ☐ Haut (eincremen) 			

Maßnahmen	PS	Häufigkeit	Form der Hilfe
Haarpflege ☐ Kämmen ☐ Waschen ☐ Föhnen _____ _____			
Sonstiges ☐ Notwendigkeit der Körperpflege erklären ☐ Behandlung von Hautdefekten (Risse, Dekubitus,.....) nach Anordnung des Arztes (Einreibungen, Wundversorgung) _____			
Einschalten weiterer Berufsgruppen _____ _____ _____			
Sonstiges _____ _____ _____ _____ _____ _____ _____ _____			

4.5 AEDL – Essen und Trinken

Name:
Zimmer:
Datum:
Pflegekraft:

Probleme	Ressourcen	Ziele
Essen ☐ Kann nicht alleine essen aufgrund seiner / ihrer Erkrankung wie _____ ☐ Sieht die Notwendigkeit von Essen nicht ein ☐ Kann nur passierte Kost zu sich nehmen ☐ Kann überhaupt nicht essen, weil PEG-Sonde	**Essen** ☐ Sieht die Notwendigkeit von Essen ein ☐ Isst gerne ☐ Kann dünnflüssige Nahrung zu sich nehmen ☐ Kann mundgerecht vorbereitete Nahrung selbstständig zu sich nehmen ☐ Kann Nahrung selbstständig zerkleinern ☐ Kann Nahrung mit Hilfestellung zu sich nehmen ☐ Kann selbstständig essen ☐ Kann bestimmte Mahlzeiten alleine essen ☐ Isst unter Anleitung ☐ Isst nach Aufforderung ☐ Kann je nach Tagesform alleine essen	Förderung der Erhaltung der Wiederherstellung Linderung
Trinken ☐ Kann nicht alleine trinken aufgrund seiner / ihrer Erkrankung, wie _____ ☐ Sieht die Notwendigkeit von Trinken nicht ein ☐ Kann nur schlecht trinken, weil _____	**Trinken** ☐ Sieht die Notwendigkeit von trinken ein ☐ Trinkt unter Anleitung ☐ Trinkt nach Aufforderung ☐ Kann schluckweise trinken ☐ Kann sich mitteilen ☐ Ist orientiert ☐ Kann verstehen	Vermeidung Sonstiges
Kau- und Schluckstörungen ☐ Kann Nahrung nicht oral aufnehmen, da _____	☐ Setzt Hilfsmittel eigenständig ein ☐ Akzeptiert Hilfsmittel ☐ **Keine Ressourcen**	

Probleme	Ressourcen	Ziele

Sonstiges
- ☐ kann Flüssigkeit nicht oral aufnehmen, da

_____

- ☐ Isst sehr langsam
- ☐ Sieht die Notwendigkeit einer Diät nicht ein
- ☐ Verweigert die Nahrungsaufnahme
- ☐ Gestörtes Essverhalten
- ☐ Appetitlosigkeit
- ☐ Gesteigerter Appetit
- ☐ Hastiges Essen
- ☐ Einseitige Ernährungsgewohnheiten
- ☐ Fehleinschätzung der Menge
- ☐ Tischsitten

- ☐ Leidet an Übergewicht
- ☐ Leidet an Untergewicht

Sonstiges

Sonstiges

Maßnahmen	PS	Häufigkeit	Form der Hilfe
Essen ☐ Wunschkost anbieten ☐ Ausgewogene Ernährung anbieten ☐ Anleitung zum Essen ☐ Überwachung der Nahrungsaufnahme ☐ Unterstützen bei der Nahrungsaufnahme ☐ Gemeinschaftliches Essen fördern ☐ Zum Essen motivieren ☐ Zusatznahrung anbieten _____ _____ ☐ Zwischenmahlzeiten reichen _____ _____ ☐ Häufig kleinere Mahlzeiten über den Tag verteilt anbieten ☐ Nahrungsmittel entsprechend anpassen, z.B. weiche und milde Speisen ☐ Nahrung mundgerecht vorbereiten ☐ Zum Einhalten der Diätkost motivieren ☐ Sondennahrung verabreichen (nach Anweisung) _____ _____ **Trinken** ☐ Überwachung der Flüssigkeitszufuhr ☐ Flüssigkeitsbilanz erstellen ☐ Zum Trinken auffordern ☐ Flüssigkeitszufuhr über Sonde nach Anweisung _____ _____			

Maßnahmen	PS	Häufigkeit	Form der Hilfe
☐ Anleitung zum Trinken ☐ Getränke bereitstellen ☐ Getränke anbieten ☐ Schlucktraining _____ **Sonstiges** ☐ Für ruhige Umgebung sorgen ☐ Geeignete Hilfsmittel anbieten, z.B. Essbesteck ☐ Bei Mahlzeiten die geeigneten Hilfsmittel anbieten ☐ Für regelmäßige Mundpflege sorgen _____ _____ ☐ Ernährungsberatung veranlassen ☐ Ärztliche Anordnungen ausführen _____ _____ **Einschalten weiterer Berufsgruppen** _____ _____ _____ Sonstiges _____ _____ _____			

4.6 AEDL – Ausscheiden

Name:
Zimmer:
Datum:
Pflegekraft:

Probleme	Ressourcen	Ziele
Urin ☐ Urininkontinenz ☐ Zeitweise Inkontinenz ☐ Konzentrierter Urin ☐ Stark riechender Urin ☐ Schmerzen bei Urinentleerung ☐ Vermeidet häufiges Wasserlassen durch geringe Flüssigkeitsaufnahme ☐ Leidet unter Harnverhalten ☐ Dauerkatheter ☐ Neigt zu Infektionen **Stuhl** ☐ Stuhlinkontinenz ☐ Hat Stoma ☐ Leidet unter ständiger Diarrhoe ☐ Leidet unter zeitweiser Diarrhoe ☐ Leidet unter Obstipation ☐ Leidet zeitweise unter Obstipation ☐ Leidet unter Schmerzen beim Stuhlgang ☐ Trockner harter Stuhl ☐ Geblähter Bauch ☐ Leidet unter Darmgeräuschen ☐ Lehnt Hilfsmittel ab aufgrund	☐ Achtet auf Körperhygiene ☐ Akzeptiert Diät ☐ Akzeptiert Hilfsmittel ☐ Akzeptiert Mobilisationsmaßnahmen ☐ Akzeptiert Pflegemaßnahmen (Blasentraining) ☐ Findet zeitweise die Toilette ☐ Ist kooperativ ☐ Ist mobil ☐ Ist orientiert ☐ Ist teilweise kontinent ☐ Setzt Hilfsmittel selbstständig ein ☐ Teilt Bedürfnis mit ☐ Trinkt ausreichend ☐ Verspürt Harndrang ☐ Verspürt Stuhldrang ☐ Wird unruhig bei Harndrang ☐ Wird unruhig bei Stuhldrang ☐ keine Ressourcen Sonstiges	Förderung der Erhaltung der Wiederherstellung Linderung Vermeidung Sonstiges

Problem	Ressourcen	Ziele
☐ Kann Toilette / Toilettenstuhl nicht selbstständig benutzen _____ _____ **Sonstiges** ☐ Leidet unter häufigem Erbrechen ☐ Neigt zum Erbrechen ☐ Hat Völlegefühl und Blähungen ☐ Leidet unter Auswurf ☐ Schwitzt stark ☐ Nimmt selbstständig und unkontrolliert Abführmittel _____ _____ Sonstiges		

Maßnahmen	PS	Häufigkeit	Form der Hilfe
☐ Anleitung bei der Nutzung von Hilfsmitteln ☐ Anleitung und Unterstützung beim Anlegen der Urinflasche ☐ Ausscheidungen beobachten / dokumentieren ☐ Ausscheidungsintervalle erfassen **Bereitstellen von** ☐ Steckbecken ☐ Toilettenstuhl ☐ Urinflasche			
☐ Einläufe nach ärztlicher Anweisung			
☐ Entleeren / reinigen und desinfizieren von Urinflasche / Steckbecken / Toiletteneimer			
☐ Gewichtskontrolle ☐ Hautpflege ☐ Individuelle Inkontinenzversorgung anwenden			
☐ Intimpflege ☐ Auf Intimsphäre achten ☐ Katheterisierung und Blasenspülung auf ärztliche Anordnung ☐ Katheterpflege			

Maßnahmen	PS	Häufigkeit	Form der Hilfe
☐ Medikamente nach ärztlicher Anordnung ☐ Stomapflege ☐ Toilettentraining nach Plan ☐ Wege zur Toilette kennzeichnen ☐ Über die Wege zur Toilette informieren ☐ Zum Kauen der Speisen anregen ☐ Zur Bewegung motivieren			
☐ Beim starken Schwitzen ⇨ Kleidung wechseln ☐ Auf Körpertemperatur achten			
☐ Auf ausreichende Flüssigkeitszufuhr achten			
☐ Hilfe zum Vermeiden von Beschwerden anbieten, z.B. Weizenkleie, Milchzucker			

Einschalten weiterer Berufsgruppen

Sonstiges

4.7 AEDL – Sich kleiden

Name:
Zimmer:
Datum:
Pflegekraft:

Probleme	Ressourcen	Ziele
☐ Kann sich nicht ohne Hilfe ankleiden ☐ Kann sich nicht ankleiden ☐ Kann sich nicht ohne Hilfe auskleiden ☐ Kann sich auskleiden aufgrund von: ☐ Versteifungen ☐ Kontrakturen ☐ schlechtem Allgemeinzustand ☐ Desorientiertheit ☐ Lähmung ☐ Blindheit ☐ Häufiges Auskleiden aufgrund Desorientierung ☐ Selbstständige Wahl der Kleidung nicht möglich, da gestörtes Wärme- und Kälteempfinden ☐ Verträgt bestimmte Materialien nicht _____ _____ ☐ Notwendigkeit des Wäschewechsels wird nicht eingesehen ☐ Notwendigkeit des Wäschewechels wird nicht bemerkt Sonstiges	☐ Kann sich selbstständig ankleiden ☐ Kann sich mit Hilfe ganz ankleiden ☐ Kann sich mit Hilfe teilweise ankleiden ☐ Kann sich unter Anleitung ganz ankleiden ☐ Kann sich unter Anleitung teilweise ankleiden ☐ Kann sich selbstständig auskleiden ☐ Kann sich mit Hilfe ganz auskleiden ☐ Kann sich mit Hilfe teilweise auskleiden ☐ Kann sich unter Anleitung ganz auskleiden ☐ Kann sich unter Anleitung teilweise auskleiden ☐ Wählt Kleidung alleine aus ☐ Legt Wert auf gepflegte Kleidung ☐ Hat ein intaktes Wärme- und Kälteempfinden ☐ Nimmt Hilfe an ☐ Nimmt Hilfsmittel an ☐ Zur Kommunikation fähig ☐ Ist orientiert Sonstiges	Förderung der Erhaltung der Wiederherstellung Linderung Vermeidung Sonstiges

Maßnahmen	PS	Häufigkeit	Form der Hilfe
☐ Tageskleidung ohne Pat. / Bew. richten ☐ Tageskleidung mit Pat. / Bew. richten			
☐ Bei Kleidungswahl unterstützen			
☐ Ankleiden ☐ Auskleiden ☐ Anleitung zum Gebrauch von Anziehhilfen geben ☐ Anleitung beim Ankleiden geben ☐ Anleitung zum Auskleiden geben ☐ Beaufsichtigung von An- und Auskleiden ☐ Unterstützen von An- und Auskleiden ☐ Regelmäßigen Wäschewechsel anregen ☐ Spezielle Kleidung bereitstellen (z. B. Pflegeoverall)			
☐ Kleidung nach Wunsch auswählen			
Einschalten weiterer Berufsgruppen			
Sonstiges			

4.8 AEDL – Ruhen, schlafen, entspannen

Name:
Zimmer:
Datum:
Pflegekraft:

Probleme	Ressourcen	Ziele
☐ Hat Durchschlafstörungen	☐ Kann Schlafstörung mitteilen	Förderung der
☐ Hat Einschlafstörungen	☐ Akzeptiert Hilfsmittel (Inkontinenzversorgung, Bettgitter,...)	
☐ Leidet unter leichtem Schlaf		Erhaltung der
Aufgrund von ☐ nächtlichem Urindrang ☐ Schmerzen ☐ Juckreiz ☐ innerer Unruhe ☐ Ängsten, Sorgen, Trauer ☐ äußeren Umständen (Lärm, Helligkeit) ☐ notwendigen Lagerungen	☐ Nimmt Ratschläge / Maßnahmen / Therapien an ☐ Ist motiviert ☐ Ist kooperativ ☐ Ist orientiert	Wiederherstellung Linderung
	Sonstiges	Vermeidung
☐ Leidet unter Schlafumkehr ☐ Hat Wahnvorstellungen ☐ Ist desorientiert ☐ Ist erschöpft und müde ☐ Leidet unter Atemwegserkrankung		Sonstiges
Sonstiges		

Maßnahmen	PS	Häufigkeit	Form der Hilfe
☐ Medikamentenabgabe nach ärztlicher Anordnung ☐ Tagesstruktur überprüfen, ggf. verändern ☐ auf das Ruhebedürfnis tagsüber eingehen ☐ Umgebung schlaffördernd anpassen (z. B. Dämmerlicht, Rollos schließen)			
☐ Individuelle Schlafrituale einhalten (Buch lesen, Radio hören, Bier,...)			
☐ Lagerung nach Plan / Wunsch			
☐ Lagerung mit Lagerungshilfsmitteln			
☐ Hilfestellung bei Verrichtungen, die aufgrund der Müdigkeit nicht selbstständig durchgeführt werden können, wie			
☐ Zuwendung und Gesprächsbereitschaft bei Konflikten und Krisen anbieten			
Einschalten weiterer Berufsgruppen			
Sonstiges			

4.9 AEDL – Sich beschäftigen

Name:
Zimmer:

Datum:
Pflegekraft:

Probleme	Ressourcen	Ziele
☐ Kann seinen / ihren Tagesablauf nicht selbstständig Gestalten ☐ Hat ein niedriges Selbstwertgefühl ☐ Fühlt sich überflüssig ☐ Kann wichtige Tätigkeiten nicht mehr ausführen _____ _____ ☐ Ist gelangweilt ☐ Selbstständiges Einkaufen nicht mehr möglich ☐ Selbstständiges Einkaufen nur noch beschränkt möglich _____ ☐ Kann frühere Hobbys nicht mehr ausüben Aufgrund von ☐ Desorientiertheit ☐ eingeschränkten Sinnesorganen wie Hören, Sehen ☐ eingeschränkter Beweglichkeit ☐ Depression ☐ Angst / Furcht ☐ Beschäftigungsunlust ☐ nicht Annahme des Beschäftigungsangebotes ☐ fehlender Motivation Sonstiges	☐ Ist kontaktfreudig ☐ Ist motiviert ☐ Kann sich beschäftigen ☐ Sucht Betätigung ☐ Will sich engagieren ☐ Ist orientiert ☐ Ist für Anregungen aufgeschlossen ☐ Hat Selbstvertrauen ☐ Kann seine / ihre Fähigkeiten einsetzen ☐ Ist mobil ☐ Äußert Wünsche ☐ Kann Hilfsmittel nutzen _____ ☐ Selbstständig ☐ Teils selbstständig Sonstiges	Förderung der Erhaltung der Wiederherstellung Linderung Vermeidung Sonstiges

Maßnahmen	PS	Häufigkeit	Form der Hilfe
Beschäftigungstherapie ☐ Einbeziehen, ermöglichen ☐ Anbieten			
Kontakte fördern ☐ Kontakte unter Pat. / Bew. fördern ☐ Teilnahme an Festen und Feiern ermöglichen ☐ Teilnahme am Gemeindeleben ermöglichen			
Im stationären Bereich Beschäftigung anbieten, wie ☐ Wohnbereichsbezogene Aufgaben ☐ Post holen ☐ Zeitung austeilen ☐ hauswirtschaftliche Tätigkeiten übernehmen ☐ Staub wischen ☐ Tische abräumen			
Sonstiges ☐ Einkäufe tätigen ☐ Auf frühere Hobbys eingehen, soweit wie möglich ☐ Begleitung bei Spaziergängen ☐ Kontakte zu Angehörigen und anderen Bezugspersonen vermitteln ☐ Unterstützung bei der Haushaltsführung anbieten, z.B. durch Haushaltshilfe			
Einschalten weiterer Berufsgruppen			
Sonstiges			

4.10 AEDL – Sich als Mann oder Frau fühlen

Name:
Zimmer:
Datum:
Pflegekraft:

Probleme	Ressourcen	Ziele
☐ Lehnt Pflege durch andersgeschlechtliche Pflegekräfte ab	☐ Akzeptiert die Regeln des Zusammenlebens	Förderung der
☐ Außergewöhnliches Schamgefühl bei Intimpflege	☐ Hat ein intaktes Selbstwertgefühl	
☐ Kann Sexualität nicht ausleben; Folge: sexuelle Übergriffe	☐ Akzeptiert gesellschaftliche Normen	Erhaltung der
☐ Enthemmtes Verhalten	☐ Kann Wünsche äußern	
☐ Fühlt sich als Mann oder Frau herabgesetzt (Bartwuchs, Haarausfall)	☐ Kann sich mitteilen	Wiederherstellung
☐ Kann sich nicht mehr geschlechtsspezifisch kleiden / pflegen durch Krankheit		
☐ Kann sich nicht mehr selbst schminken	Sonstiges	
☐ Hat ein starkes Bedürfnis nach Zärtlichkeit		Linderung
☐ Gestörtes Selbstwertgefühl		
☐ Angst bzw. Aggressionen gegenüber dem anderen Geschlecht		
☐ Abwehr von Berührung / Körperkontakt		
☐ Sozialer Rückzug		Vermeidung
☐ Verbaler und nonverbaler Ausdruck von Wut, Trauer und Niedergeschlagenheit		
		Sonstiges
Sonstiges		

Maßnahmen	PS	Häufigkeit	Form der Hilfe
☐ Gleichgeschlechtliche Pflege - wenn gewünscht - sicherstellen			
☐ Dauerhafte Bezugsperson zur Wahrung der Intimsphäre ermöglichen			
☐ Gespräche führen			
☐ Übernahme / Hilfestellung bei / beim Hautpflege / Schminken			
☐ Einschalten eines Therapeuten			
☐ Kontakte unter Pat. / Bew. fördern			
☐ Unterstützung anbieten bei Ängsten			
☐ Selbstbestimmung unterstützen und fördern			
☐ Zuwendung und Anerkennung auch nonverbal signalisieren			
☐ Siehe AEDL Sich pflegen und kleiden			

Einschalten weiterer Berufsgruppen

Sonstiges

4.11 AEDL – Für eine sichere Umgebung sorgen

Name:
Zimmer:
Datum:
Pflegekraft:

Probleme	Ressourcen	Ziele
Kann Gefahren nicht erkennen ☐ Fenster / Balkontüren ☐ Feuer ☐ Hitzequellen ☐ Treppen ☐ Kälte ☐ Stromquellen ☐ Findet sich in seiner / ihrer Umgebung nicht zurecht ☐ Kann seinen / ihren Tagesablauf zeitlich nicht strukturieren ☐ Sturzgefährdung	☐ Kann sich auf räumliche Gegebenheiten einstellen ☐ Vertraut den Pflegenden ☐ Vertraut auf Hilfsmittel ☐ Ist kompromissbereit ☐ Siehe AEDL Kommunikation / Orientierung und Sich bewegen _____ _____ _____	Förderung der Erhaltung der Wiederherstellung Linderung
	Sonstiges	
Selbstgefährdung durch ☐ Übersteigen des Bettgitters Sonstiges		Vermeidung Sonstiges

42

Maßnahmen	PS	Häufigkeit	Form der Hilfe
Fixierungen nach Einverständnis (Richter, Pat.) ☐ Bettgitter ☐ Bauchgurt ☐ Schlafsack ☐ Bettschürze			
☐ Betreuung einrichten / informieren ☐ Medikamentenabgabe nach Anordnung des Arztes ☐ Gespräche führen ☐ Umgebung auf Gefahren hin kontrollieren ☐ Gefahren - soweit wie möglich - ausschalten			
☐ Siehe auch AEDL Kommunikation / Orientierung, Vitale Funktionen des Lebens aufrechterhalten, Essen und Trinken, Sich pflegen und kleiden			
Einschalten weiterer Berufsgruppen			
Sonstiges			

4.12 AEDL – Soziale Bereiche des Lebens sichern

Name:
Zimmer:
Datum:
Pflegekraft:

Probleme	Ressourcen	Ziele
☐ Hat keine Bezugsperson ☐ Ist antriebsarm ☐ Fühlt sich isoliert ☐ Ist misstrauisch _____ _____ _____ ☐ Kann Kontakte nicht aufrechterhalten Aufgrund von ☐ Desorientiertheit ☐ körperlicher Behinderung ☐ schlechter Verkehrsanbindung ☐ vermeintlicher Unabänderlichkeit der Situation _____ _____ Sonstiges	☐ Hat Kontakt zu Vertrauensperson ☐ Will informiert sein ☐ Pflegt telefonisch Kontakte ☐ Nimmt Hilfestellung und Unterstützung an ☐ Ist interessiert an Neuem ☐ Ist interessiert am Umfeld ☐ Siehe AEDL Kommunikation / Orientierung, Sich bewegen, Sich als Mann oder Frau fühlen, Sich beschäftigen und Sich pflegen und kleiden _____ _____ _____ Sonstiges	Förderung der Erhaltung der Wiederherstellung Linderung Vermeidung Sonstiges

Maßnahmen	PS	Häufigkeit	Form der Hilfe
☐ Kontakte zu Gruppen anbieten ☐ Kontakte zu Gruppen vermitteln ☐ Kontakte zu Mitbewohnern anbieten ☐ Kontakte zu Mitbewohnern vermitteln ☐ Kontakte zu Nachbarn anbieten ☐ Kontakte zu Nachbarn vermitteln ☐ Kontakte zu Angehörigen anbieten ☐ Kontakte zu Angehörigen vermitteln ☐ Kontakte zu Pfarreien anbieten ☐ Kontakte zu Pfarreien vermitteln ☐ Orientierungshilfen geben (Bilder, Uhr, Kalender) ☐ Situationsbedingte Gespräche führen ☐ Zeitungen anbieten ☐ Hilfsmittel anbieten ☐ Zur Teilnahme an Aktivitäten (Feste,...) motivieren ☐ Siehe auch AEDL Kommunikation / Orientierung und Sich beschäftigen			

Einschalten weiterer Berufsgruppen

Sonstiges

4.13 AEDL – Mit existenziellen Erfahrungen des Lebens umgehen

Name:
Zimmer:
Datum:
Pflegekraft:

Probleme	Ressourcen	Ziele
☐ Akzeptiert Abhängigkeit nicht (Hilfebedarf) ☐ Fügt sich nur schwer in Gemeinschaft ein ☐ Fühlt sich abgeschoben ☐ Fühlt sich wertlos ☐ Hat Angst vor neuem Lebensabschnitt (z.B. AH-Einzug) ☐ Kann Krankheit / Behinderung nicht annehmen / akzeptieren ☐ Sieht in seinem / ihrem Leben keinen Sinn mehr **Leidet unter dem Verlust von z.B.** ☐ Eigenständigkeit ☐ Trennung des Partners ☐ Bezugsperson ☐ Bisherigem Umfeld **Hat Sorge um** ☐ Finanzielle Dinge ☐ Haus / persönliche Gegenstände	☐ Hat Lebensmut ☐ Ist interessiert an Neuem ☐ Setzt sich mit den neuen Gegebenheiten auseinander ☐ Nimmt Hilfen an ☐ Geht auf Leute zu ☐ Ist offen zu Menschen ☐ Hat Vertrauen ☐ Findet Kraft und Halt ☐ Kann seine / ihre Gefühle mitteilen ☐ Kann trauern ☐ Kann den Schmerz ausdrücken Sonstiges	Förderung der Erhaltung der Wiederherstellung Linderung Vermeidung Sonstiges

Probleme	Ressourcen	Ziele
Hat Angst vor ☐ dem Leben ☐ dem Tod ☐ der Einsamkeit ☐ finanzieller Abhängigkeit ☐ Krankheit ☐ dem Alter ☐ Isolation _____ _____ **Leidet unter** ☐ Hoffnungslosigkeit ☐ Depressionen ☐ Bewustseinsstörungen _____ _____ ☐ Ist misstrauisch gegenüber Neuem ☐ Leidet unter unbewältigten Erlebnissen (Krieg, Tod) ☐ Hadert mit Gott und der Welt _____ _____ Sonstiges		

Maßnahmen	PS	Häufigkeit	Form der Hilfe
☐ Situationsbezogene Gespräche führen ☐ Aktives Zuhören / Bestätigung und Anerkennung geben ☐ Regelmäßige Kontakte zur / zum Seelsorger/in sicherstellen ☐ Vertrauen und Sicherheit geben ☐ Besuche ermöglichen, vermitteln ☐ Externe fachliche Beratung hinzuziehen (Pfarrer,...) ☐ Nähe und Verständnis vermitteln ☐ Tagesstrukturierte Maßnahmen und Ziele gemeinsam festlegen			
☐ Einbeziehen des Arztes ☐ Medikamentengabe nach Anweisung des Arztes ☐ Schmerztherapie anbieten			
☐ Beruhigende Waschungen und wärmende Auflagen bei Schmerzen anbieten			

Maßnahmen	PS	Häufigkeit	Form der Hilfe
☐ Siehe auch AEDL Kommunikation und Sich beschäftigen			
Einschalten weiterer Berufsgruppen			
Sonstiges			

5. Zielformulierungen zu den einzelnen AEDL

5.1 AEDL – Kommunikation/Orientierung

- fühlt sich wohl
- versteht
- akzeptiert das Hörgerät/die Brille
- benutzt ein funktionstüchtiges Hörgerät
- hat eine angepasste Sehhilfe
- akzeptiert die Hilfe bei Hörgerätbenutzung
- pflegt Kontakt zu den Bewohnern und Mitarbeitern
- benutzt Kontakthilfen (technische Hilfen)
- hat Vertrauen
- fühlt sich akzeptiert und angenommen
- erfährt mehr Selbstsicherheit durch Verbesserung des Sprachvermögens
- verständigt sich über Gestik und Mimik
- geht mit Hilfsmitteln um
- spricht und versteht besser
- akzeptiert Zahnersatz
- fühlt sich sicher
- ist orientiert
- ist angstfrei
- hat Selbstvertrauen
- benutzt Hilfsmittel (Radio, Fernseher)
- fühlt sich in seiner/ihrer Umwelt sicher
- schätzt seine/ihre Einschränkung richtig ein
- hat seinen/ihren Tag strukturiert
- findet sich zurecht
- akzeptiert seine/ihre Situation
- erkennt schmerzauslösende Faktoren
- überprüft seinen/ihren Kommunikationsstil
- kommuniziert, ohne Mitmenschen zu verletzen
- nimmt Gefühle wahr und lässt sie zu
- nimmt Bedürfnisse und Wünsche wahr
- teilt seine/ihre Bedürfnisse mit
- nimmt seine/ihre Wut, Ärger und Aggression in adäquater Weise wahr
- kann seine/ihre Wut, Ärger und Aggression in adäquater Weise mitteilen

- nimmt Kontrolluntersuchungen regelmäßig wahr
- vorhandene Sprachfähigkeiten des Patienten sind erhalten
- Zahnersatz ist angepasst
- Isolation ist vermieden – Integration ist gefördert
- Sozialkontakte des Bewohners sind erhalten

5.2 AEDL – Sich bewegen

- bewegt eingeschränkt Kopf/Oberkörper/Extremitäten
- bewegt Kopf/Oberkörper/Extremitäten ohne Einschränkung
- ist selbstsicher/motiviert
- sitzt/steht/geht mit Hilfe
- liegt bequem, hat keine Kontrakturen
- liegt bequem, hat keinen Dekubitus
- kann alleine Zubettgehen
- kann alleine aus dem Bett aufstehen
- geht sicher und angstfrei
- führt den Transfer mit Hilfe/selbstständig durch
- wendet Hilfsmittel mit Hilfe/selbstständig an
- fühlt sich sicher
- akzeptiert seine/ihre Schwäche
- kann mit den Schmerzen umgehen

5.3 AEDL – Vitale Funktionen des Lebens aufrechterhalten

- hat normale Körpertemperatur
- trägt keine synthetische Kleidung
- ist gepflegt und fühlt sich wohl
- hat stabilen Blutdruck, seinen/ihren Kreislaufverhältnissen entsprechend
- ist weitestgehend beschwerdefrei
- erkennt Notwendigkeit der Maßnahmen
- ist ausreichend versorgt mit Sauerstoff/Frischluft
- kann Sekret abhusten
- sekretfreie Atemwege
- hat eine normale/freie Atmung
- besitzt eine intakte Atemschleimhaut
- empfindet Erleichterung beim Atmen und Abhusten

- kennt Techniken zu/zum Abhusten und Atemübungen und kann diese einsetzen
- Komplikationen sind frühzeitig erkannt/vorgebeugt
- Komplikationen sind vermieden
- Verschlechterung des Krankheitsbildes ist frühzeitig erkannt
- auslösende Faktoren sind vermieden

5.4 AEDL – Sich pflegen

- hat eine intakte Haut/Schleimhaut
- sieht die Notwendigkeit der Körper-/Hautpflege ein
- führt die Körperpflege ausreichend durch
- ist gepflegt und fühlt sich wohl
- sieht die Notwendigkeit der vermehrten Körperpflege ein
- trägt keine synthetische Kleidung
- hat Vertrauen
- fühlt sich sicher
- führt Körperpflege selbstständig durch
- führt Körperpflege teilweise selbstständig durch
- hat eine saubere intakte Prothese
- hat keine Druckstellen
- hat keine Schmerzen im Mund
- hat keine Nagelbetterkrankungen
- hat gepflegte Fuß- und Fingernägel
- Fähigkeiten, sich zu pflegen sind erhalten

5.5 AEDL – Essen und Trinken

- ist ausreichend ernährt
- trinkt ausreichend
- isst selbstständig
- isst unter Anleitung
- benutzt Hilfsmittel
- hat eine gut sitzende Zahnprothese
- hat ein angemessenes Körpergewicht/Normalgewicht
- akzeptiert Diät
- hat Appetit
- zeigt Veränderungen in den Essgewohnheiten

- isst und trinkt selbstständig
- hält sein/ihr Körpergewicht
- kann die angebotenen Speisen und Getränke schlucken
- ist in einem guten Allgemeinzustand
- hat eine ausgewogene Flüssigkeitsbilanz
- Komplikationen/Folgeschäden sind vermieden

5.6 AEDL – Ausscheiden

- ist kontinent
- hat eine physiologische Stuhl-/Harnentleerung
- hat eine intakte Haut
- behält seine/ihre Selbstsicherheit
- ist sicher in der Gemeinschaft
- akzeptiert Hilfsmittel
- akzeptiert Pflegemaßnahmen
- hat keine Infekte
- setzt Hilfsmittel selbstständig ein
- vermeidet Medikamentenmissbrauch
- akzeptiert Hilfestellung von Mitarbeitern
- führt ohne Abführmittel regelmäßig ab
- akzeptiert Hilfestellung
- hat ausreichend Bewegung (keine Blähungen)
- hat einen ausgeglichenen Flüssigkeitshaushalt
- fühlt sich sauber und wohl
- vermeidet unverträgliche Nahrungsmittel
- kennt die Ursachen und arbeitet an der Bewältigung mit
- bewahrt Selbstachtung und Würde
- ist schmerzfrei bei Stuhl- und Harnentleerung
- Folgeschäden sind vermieden
- Sputum ist vermindert
- Entzündungen sind vermieden
- Dauerkatheter ist entfernt

5.7 AEDL - Sich kleiden

- trägt bedarfsgerechte Kleidung
- die Selbstständigkeit ist wiedererlangt, z. B. bei der Kleidungswahl oder beim Anziehen und Ausziehen
- öffnet/schließt Knöpfe/Verschlüsse
- ist gepflegt und hat ein würdiges Aussehen nach seinen/ihren Wünschen
- fühlt sich wohl und ist nach jahreszeitlichen, hygienischen, biografischen Gewohnheiten gekleidet
- zieht vorbereitete Kleidung an/aus
- hat eine intakte Haut durch angepasste Materialien der Kleidung
- fühlt sich in seiner/ihrer Selbstständigkeit unterstützt

5.8 AEDL – Ruhen, schlafen, entspannen

- hat einen erholsamen Schlaf
- hat ausreichend Schlaf
- äußert Wohlbefinden
- nimmt Maßnahmen zur Schlafförderung an
- hat einen störungsfreien/schmerzfreien Schlaf
- akzeptiert Schlafstörungen, kann mit Schlafstörungen umgehen
- ist ausgeglichen siehe AEDL 9 Tagestrukturierung
- hat einen angstfreien Schlaf
- fühlt sich sicher
- Störfaktoren sind ausgeschaltet bzw. minimiert

5.9 AEDL – Sich beschäftigen

- Äußert Freude an Beschäftigung und Aktivitäten
- nimmt an Beschäftigungsangeboten teil
- hat Hobbys und pflegt diese
- hat Kontakte zu Mitbewohnern
- beschäftigt sich seinen/ihren Fähigkeiten entsprechend
- ist mit seinem/ihrem Tagesablauf zufrieden
- erlebt seinen/ihren Tagesablauf als sinnvoll
- sieht neue Beschäftigungsmöglichkeiten
- hat ein Erfolgserlebnis/Gemeinschaftserlebnis

- nimmt mit Hilfsmitteln (Rollstuhl) an Einkäufen/Spaziergängen außerhalb der Einrichtung teil
- ist entscheidungsfreudig/initiativ
- fühlt sich wohl
- fühlt sich in seiner/ihrer Selbstständigkeit nicht eingeschränkt
- verhält sich anderen gegenüber angemessen

5.10 AEDL – Sich als Mann oder Frau fühlen

- kann Bedürfnisse und Gefühle mitteilen
- fühlt sich verstanden
- erleidet keine Folgeschäden
- akzeptiert Einschränkungen und Veränderungen
- fühlt sich sicher und angenommen
- fühlt sich als Mann oder Frau
- fühlt sich wohl und gepflegt, siehe AEDL 4
- ist geschminkt
- hat ein positives und bejahendes Selbstempfinden/Selbstwertgefühl

5.11 AEDL – Für eine sichere Umgebung sorgen

- akzeptiert Hilfsmittel
- benutzt angepasste Hilfsmittel
- akzeptiert Sicherheitsmaßnahmen
- erkennt seine/ihre Belastungsgrenze
- erkennt Gefahrenquellen
- hat einen geregelten Tagesablauf
- lernt mit Alternativen umzugehen
- findet sich zurecht
- fühlt sich sicher
- kann sich koordiniert und sicher bewegen
- Sturzgefahr ist beseitigt bzw. minimiert
- Gefahrenquelle ist beseitigt bzw. Umgang mit Gefahren wird beherrscht
- Kompromiss ist gefunden
- Medikamenteneinnahme ist gewährleistet
- Betreuung ist eingerichtet bzw. hat eine Vertrauensperson
- persönliche Angelegenheiten sind erledigt
- Selbst-/Fremdgefährdung ist vermieden

5.12 AEDL – Soziale Bereiche des Lebens sichern

- hat Kontakt zu Bewohnern, Angehörigen, Mitarbeitern
- wünscht eine Bezugsperson/hat eine Bezugsperson
- ist integriert
- geht auf Menschen zu
- bringt sich in die Gemeinschaft ein
- ist informiert
- nimmt am gesellschaftlichen Leben teil
- kennt Ursache der Isolation und arbeitet aktiv daran, sie zu reduzieren
- erfährt Zuwendung und Aufmerksamkeit
- lebt selbstbestimmt
- trifft Entscheidungen selbstständig
- ist zufrieden
- das Interesse am Umfeld ist geweckt
- das Interesse an Neuem ist geweckt

5.13 AEDL – Mit existenziellen Erfahrungen des Lebens umgehen

- akzeptiert Krankheit/Behinderung
- nimmt den neuen Lebensabschnitt/sein/ihr Alter an
- fühlt sich angenommen
- hat sich gut eingelebt
- hat wieder Selbstwertgefühl
- akzeptiert das Leben
- nimmt am Gemeinschaftsleben teil
- nimmt Verlust/Trennung an
- kennt schmerzauslösende Faktoren und kann sie vermeiden
- ist angstfrei
- kennt Möglichkeiten mit der Angst umzugehen
- nutzt Unterstützungsangebote
- kann seinen/ihren Bedürfnissen entsprechend trauern
- nimmt die Realität an
- kann den Schmerz ausdrücken
- spricht über Sorgen/Ängste
- hat Vertrauen
- ist schmerzfrei, hat Schmerztherapie

- spricht über Lebensereignisse
- findet Sinn am Leben
- findet Gleichgesinnte

6. Krankheitsbilder mit individuellen Pflegeplanungsformulierungen

6.1 Diabetes mellitus

Name:　　　　　　　　　　　　　　　Datum:

Zimmer:　　　　　　　　　　　　　　Pflegekraft:

Probleme	Ressourcen	Ziele
☐ Hyperglykämie ☐ Falsches Ernährungsverhalten ☐ Diät wird nicht eingehalten ☐ Gier auf Süßigkeiten ☐ Hoher Alkoholverbrauch ☐ Übergewicht ☐ Kein Mengengefühl ☐ Folgeerkrankungen ☐ Gefäßerkrankungen (Gangrän) ☐ Entzündung der Bauchspeicheldrüse (Pankreatitis) ☐ Leberschäden (Fettleber) ☐ Diabetischer Fuß (Fußpflege, Hautpflege) ☐ Nierenschäden ☐ Nervenschäden ☐ Augenschäden ☐ Infektionen der Haut, z.B. Furunkel / Ekzeme ☐ Infektanfälligkeit ☐ Trockene Haut ☐ Instabile Blutzuckerwerte ☐ Gestörtes Temperaturempfinden ☐ Gestörte Wundheilung ☐ Diabetischer Schock ☐ Hypoglykämischer Schock ☐ Inkontinenz ☐ Vermehrte Urinausscheidung ☐ Uneinsichtigkeit von Angehörigen und Freunden bzgl. der notwendigen Diät / des notwendigen Ernährungsverhaltens ☐ Sonstiges	☐ Ist einsichtig ☐ Kann mit seiner / ihrer Krankheit umgehen ☐ Begreift die Notwendigkeit der verordneten Maßnahmen ☐ Kann kommunizieren ☐ Arbeitet motiviert mit ☐ Nimmt Hilfen an / wahr, z.B. med. Fußpflege **Nimmt Hilfsmittel an** ☐ Orthopädische Schuhe ☐ Gehstock ☐ Rollator ☐ Erkennt Symptome und teilt diese mit ☐ Angehörige sind einsichtig und arbeiten mit Sonstiges	☐ Hat akzeptable Blutzuckerwerte ☐ Hat ein, den medizinischen Notwendigkeiten, angepasstes Essverhalten ☐ Arbeitet sinnvoll mit Angehörigen und Bezugspersonen zusammen ☐ Hat intakte Haut ☐ Bleibt zur Mitarbeit motiviert / ist dauerhaft motiviert, an der Therapie mitzuarbeiten ☐ Nimmt seine / ihre Krankheit an ☐ Komplikationen sind vermieden ☐ Folgeerkrankungen sind vermieden ☐ Verletzungen / Infektionen sind vermieden ☐ Gewicht ist reduziert ☐ Seine / ihre individuelle Lebensqualität ist gesichert Sonstiges

Maßnahmen	PS	Häufigkeit	Form der Hilfe
☐ Patient und Angehörige über Erkrankung aufklären			
☐ Motivieren, Maßnahmen einzuhalten			
☐ Zeitlich festgelegte Essensangebote vereinbaren			
☐ Regelmäßig med. Fußpflege bestellen			
☐ Für eine regelmäßige (bedarfsgerechte und turnusmäßige) med. Betreuung sorgen			
☐ Kontinuierliche, gezielte Hautpflege und Hautinspektion durchführen			
☐ Dekubitusprohylaxe			
☐ Spezielle Mundpflege durchführen			
☐ Überwachen der Infusionstherapie			
☐ Harnweginfektionsprophylaxe			
☐ Auf geeignetes Schuhwerk achten			
☐ Diagnostische Maßnahmen nach ärztlicher Verordnung			
☐ Für ausreichende Flüssigkeit sorgen, ggf. bilanzieren			
☐ Regelmäßige Gewichtskontrollen			
☐ Für angemessene Kleidung sorgen			
☐ Auf ausreichende Bewegung achten			
☐ Vermittlung von Sicherheit, seelische Begleitung des Bewohners / Patienten			
☐ Kontinuierliche Krankenbeobachtung			
☐ Blutzuckerkontrolle			
☐ Vitalzeichenkontrolle			

Sonstiges

_____

_____

_____

_____

_____

_____

6.2 Schlaganfall

Name:
Zimmer:
Datum:
Pflegekraft:

Probleme	Ressourcen	Ziele
☐ Hemiplegie ≙ lehnt betroffene Körperhälfte ab ☐ Hemiparese ≙ Immobilität ☐ Aphasie ≙ Sprachstörungen ☐ Halbseitige Sensibilitätsstörungen _____ _____ ☐ Leidet unter Sehstörungen ☐ Störungen der Vitalfunktionen ☐ Orientierungs- und Konzentrationsstörungen ≙ örtlich / zeitlich / situativ _____ _____ ☐ Miktionsstörungen ☐ Kontrollverlust der Blasen- und Darmtätigkeit _____ ☐ Hat Schluckstörungen ☐ Leidet unter gestörtem Körperschema ☐ Hat ein eingeschränktes Gesichtsfeld ☐ Leidet unter Schmerzen ☐ Leidet unter Gefühlsschwankungen _____	☐ Akzeptiert den Schlaganfall und arbeitet an der Therapie mit ☐ **Ist motiviert therapeutische Maßnahmen durchzuführen** ☐ Logotherapie ☐ Krankengymnastik ☐ Basale Stimulation ☐ Physiotherapie _____ ☐ Ist zugänglich ☐ Kann sprechen und verstehen ☐ Ist orientiert ☐ Akzeptiert Hilfsmittel ☐ Akzeptiert Hilfe ☐ Zieht betroffene Körperhälfte in seinen Bewegungsablauf mit ein Sonstiges	☐ Akzeptiert betroffene Körperhälfte ☐ Hat eine intakte Haut ☐ Ist psychisch stabil ☐ Hat Vertrauen, ist angstfrei ☐ Erkennt eigene Ressourcen ☐ **Folgeschäden sind vermieden** ☐ Kontrakturen ☐ Weitere Lähmungen ☐ Inkontinenz ☐ Normale Bewegungsabläufe sind wieder erlernt ☐ Die Orientierung (zeitlich / örtlich / situativ) ist wiedergewonnen / erhalten ☐ Sensibilität ist wiedergewonnen / erhalten ☐ Selbstwertgefühl ist wiedergewonnen / erhalten ☐ Selbstständigkeit und individuelle Lebensqualität ist wiedergewonnen / erhalten ☐ Umgebung wird wahrgenommen Sonstiges

Probleme	Ressourcen	Ziele
☐ Ist psychisch verändert ☐ Depressive Verstimmung ☐ Antriebsarmut ☐ Hat Angst ☐ Hat kein Selbstwertgefühl ☐ Fühlt sich wertlos, lästig, nutzlos ☐ Ist weinerlich _____ _____ _____ ☐ Ist wesensverändert mit Verhaltensauffälligkeiten ☐ Gestörtes Essverhalten ☐ Gestörte Sexualität _____ _____ ☐ Hat Spastiken an _____ _____ _____ ☐ Leidet unter Folgeerkrankungen ☐ Dekubitus ☐ Pneumonie ☐ Thrombose ☐ Inkontinenz ☐ Soor und Parotitis _____ Sonstiges		

Maßnahmen	PS	Häufigkeit	Form der Hilfe
☐ Maßnahmen nach ärztlicher Verordnung durchführen / über Verlauf informieren			
☐ Angehörige (mit Einverständnis des Patienten) über Pflegemaßnahmen informieren / einbinden			
☐ Lagerung und Pflege nach Bobath			
☐ **Prophylaktische Maßnahmen durchführen, z.B.** ☐ Dekubitusprophylaxe ☐ Thromboseprophylaxe ☐ Pneumonieprophylaxe			
☐ Erfolgserlebnisse vermitteln ☐ Angst nehmen durch Gespräche / Zuwendung ☐ Mit Hilfsmitteln versorgen / anleiten			
☐ Motivieren, am sozialen Leben teilzunehmen ☐ Gefühl des Angenommenseins vermitteln ☐ Mundpflege nach jeder Nahrungsaufnahme durchführen ☐ Gesichtshygiene durchführen			

Maßnahmen	PS	Häufigkeit	Form der Hilfe
Kontakte zu externen Therapeuten vermitteln ☐ - Krankengymnastik ☐ - Ergotherapie ☐ - Logopädie			
☐ Maßnahmen der Therapie unterstützen / fortführen ☐ Kontaktaufnahme zu anderen Betroffenen anregen ☐ Vermittlung von Sebsthilfegruppen			
☐ Siehe AEDL 1 bis 13			
Sonstiges			

6.3 Parkinson

Name:
Zimmer:
Datum:
Pflegekraft:

Probleme	Ressourcen	Ziele
Akinese ☐ Verlangsamung aller Bewegungsabläufe ☐ Verarmung der Mimik (Maskengesicht) ☐ Verarmung der Gestik (kleinschrittiger, schlurfender Gang) ☐ Fehlendes Mitschwingen der Arme beim Gehen ☐ Nach vorne übergebeugte Körperhaltung ☐ Leise, monotone, zunehmend stimmlose Sprache ☐ Kleines Schriftbild **Rigor** ☐ Erhöhung der Muskelspannung (wird als Starrheit empfunden) **Tremor** ☐ Zittern bei Ruhe ☐ Abnormale Handbewegungen (Pillendrehen oder Münzenzählen) **Psychische Veränderung** ☐ Depressive Verstimmung ☐ Rückgang der Spontanität ☐ Verzögerung emotionaler Reaktionen ☐ Teilnahmslosigkeit ☐ Antriebsschwäche ☐ Reizbarkeit	☐ Ist mobil ☐ Ist orientiert ☐ Ist motiviert, nimmt am gesellschaftlichen Leben teil ☐ Ist gesellig ☐ Kann seine Angst kontrollieren ☐ Legt Wert auf ein gepflegtes Äußeres ☐ Ist psychisch stabil ☐ Kann zubereitete Nahrung selbstständig zu sich nehmen ☐ Kann zubereitete Nahrung mit Hilfe zu sich nehmen ☐ Nimmt Hilfen an ☐ Akzeptiert Hilfsmittel ☐ Lernt Bewältigungstechniken ☐ Akzeptiert Ergotherapie ☐ Akzeptiert Logotherapie ☐ Akzeptiert Krankengymnastik ☐ Ist offen für medikamentöse Behandlung ☐ Kennt das Krankheitsbild Sonstiges	☐ Akzeptiert seine / ihre Krankheit ☐ Sieht die Notwendigkeit der täglichen Übungen ein ☐ Sieht die Notwendigkeit der täglichen Medikamenteneinnahme ein ☐ Führt selbstständig die Körperpflege durch ☐ Akzeptiert die Grenzen seiner / ihrer Leistungsfähigkeit ☐ Hat gesunde, intakte Haut ☐ Nimmt Hilfen an ☐ Hat ein gutes Selbstwertgefühl ☐ Ist integriert ☐ Pflegt Kontakte ☐ Hat Freude am Leben ☐ Hat Vertrauen ☐ Ist angstfrei ☐ Selbstständigkeit und Mobilität sind so lange wie möglich erhalten ☐ Stress und Aufregung sind vermieden ☐ Die Selbstständigkeit beim Essen und Trinken ist erhalten Sonstiges

Probleme	Ressourcen	Ziele

Vegetative Störungen
- ☐ Gesteigerte Speichelsekretion
- ☐ Fettig-glänzende Haut und Haare
- ☐ Erhöhte Talgabsonderungen (Salbengesicht)
- ☐ Störungen der Temperatur, wie Hitzewallung und Schweißausbrüche
- ☐ Umkehr des Schlaf-Wachrhythmus

Drohende Komplikationen bei Bettlägerigkeit
- ☐ Kontrakturen
- ☐ Dekubitus
- ☐ Pneumonie
- ☐ Gewichtsverlust
- ☐ Kopfschmerzen bei Rigor
- ☐ Vernachlässigt das persönliche Erscheinungsbild
- ☐ Schwierigkeiten bei / beim Wasserlassen, Darmträgheit

Sonstiges
- ☐ hat vermehrten Speichelfluss infolge Schluckstörungen
- ☐ hat Schweißausbrüche
- ☐ Fühlt sich entwertet (Partnerprobleme)
- ☐ siehe AEDL's

Sonstiges

Maßnahmen	PS	Häufigkeit	Form der Hilfe
☐ Maßnahmen nach ärztlicher Verordnung durchführen / über Verlauf informieren ☐ Viel Zeit lassen, nie Zeitdruck ausüben ☐ Erforderliche Prophylaxen durchführen: _____ _____ _____ _____			
☐ Koordinationsübungen mit Beinen durchführen ☐ Koordinationsübungen mit Armen durchführen ☐ Gelegenheit zu Gesprächen nutzen ☐ Geduldiges Zuhören ☐ Wertschätzender Umgang ☐ Für passende Hilfsmittel sorgen, zum Gebrauch anleiten und motivieren: _____ _____ _____ _____			
☐ Geplante Gewichtskontrolle durchführen ☐ Für saubere Kleidung sorgen ☐ Für Gesichtshygiene sorgen ☐ Zur Körperpflege anleiten und motivieren ☐ Gestaltung des Umfelds, auf Gefahren achten _____ _____ _____			

Maßnahmen	PS	Häufigkeit	Form der Hilfe
☐ Angehörige über Krankheit und Pflege informieren / einbinden ☐ Kontaktaufnahme mit Selbsthilfegruppe empfehlen			|整个
Sonstiges			

6.4 Vergesslichkeit, Verwirrtheit, Demenz

Name:
Zimmer:
Datum:
Pflegekraft:

Probleme	Ressourcen	Ziele
☐ Vergisst Namen ☐ Verlegt Gegenstände ☐ Hat ein vermindertes Erinnerungsvermögen ☐ Hat Wortfindungsstörungen ☐ Hat Gedankenabrisse (Gedanken anfangen, nicht zu Ende führen) ☐ Hat Gedankensprünge ☐ Konfabuliert (Gedächtnislücken werden mit vielen Worten gefüllt) ☐ Leidet unter Perseveration (sprachlicher Wiederholungsdrang) ☐ Ist verwirrt in vertrauter Umgebung ☐ Findet sich in vertrauter Umgebung nicht zurecht ☐ Ist stark verunsichert (Angst / Panik) _____	☐ Kann lesen ☐ Kann sich beschäftigen ☐ Nimmt Hilfe an ☐ Ist gruppenfähig ☐ Fähig in einer Gemeinschaft zu leben ☐ Erinnert sich an frühere Gegebenheiten (Langzeitgedächtnis) ☐ Ist gesellig ☐ Nimmt am gesellschaftlichen Leben teil ☐ Beherrscht Bewältigungsstrategien ☐ Hat soziale Kontakte ☐ Hat eine positive Grundstimmung ☐ Ist offen, ist nicht aggressiv ☐ Lässt sich durch eine Vertrauensperson positiv motivieren ☐ Keine Ressourcen	☐ Ist im Wohnbereich integriert ☐ Fühlt sich wohl ☐ Erkennt Hilfsmittel ☐ Kann mit Hilfsmitteln umgehen ☐ Fühlt sich sicher und geborgen ☐ Fühlt sich angenommen ☐ Lebt in einem angemessenen Tag – Nacht – Rhythmus ☐ Wahrt Distanz ☐ Ist ausreichend ernährt ☐ Benutzt die Toilette ☐ Respektiert den anderen Menschen ☐ Legt aggressives Verhalten ab ☐ Erkennt die Gefahren Sonstiges
Leidet unter Verlust der zeitlichen / örtlichen / situativen Orientierung **Zeitliche** ☐ Fassadenverhalten ☐ Frage nach: Wochentag, Datum, Jahr ☐ Frage nach biografischen Ereignissen **Örtliche** ☐ Fragen nach dem Zimmer ☐ Fragen nach der Toilette ☐ Fragen nach dem Aufenthaltsort / wo bin ich?	Sonstiges	

Probleme	Ressourcen	Ziele
Situativ: ☐ Sammeltrieb ☐ Kommt nicht mit der gegebenen Situation zurecht ☐ Führt althergebrachte Gewohnheiten weiter durch ☐ Logisches Denken verringert sich ☐ Logisches Denken geht verloren ☐ Lehnt Hautkontakt ab **Zur Person:** ☐ Der BW / Patient kann keine persönlichen Angaben mehr machen ☐ Der BW / Patient reagiert nicht mehr z.B. auf seinen Namen ☐ Er / sie erkennt die eigenen Angehörigen nicht mehr ☐ Erkennt lebensnotwendige Bedürfnisse nicht mehr ☐ Kann nicht im Zusammenhang denken ☐ Durchlebt wechselnde Gefühlsreaktionen ☐ Leidet unter Schlafstörungen bei Tag und Nacht-Umkehr ☐ Leidet unter Bewegungsstörungen ☐ Leidet unter stereotypen Bewegungsabläufen ☐ Ist sebstgefährtet durch Verkennung von Gefahr ☐ Hat ein enthemmtes Verhalten, z.B. unkontrolliertes Essverhalten ☐ Zeigt verändertes Verhalten und Erleben ☐ Zeigt depressive oder aggressive Verhaltensweise _____ _____ Sonstiges		

69

Maßnahmen	PS	Häufigkeit	Form der Hilfe
☐ Maßnahmen nach ärztlicher Anordnung durchführen, über Verlauf informieren ☐ Ruhige Umgebung schaffen ☐ Sich Zeit nehmen ☐ Eindeutige Anleitungen geben			
☐ Einfache, auf den Bewohner abgestimmte, Tagesstrukturierung ☐ Orientierungshilfen geben			
☐ Sensibles Vorgehen beim Korrigieren / Belehren ☐ Reizüberflutung vermeiden (Fernseher, Radio) ☐ Keinen Zeitdruck vermitteln ☐ Erforderliche Prophylaxen durchführen			

Maßnahmen	PS	Häufigkeit	Form der Hilfe
☐ Für ausreichende Flüssigkeitszufuhr sorgen, wenn nötig Bilanz führen ☐ Gedächtnistraining durchführen ☐ Für angemessene Beschäftigung sorgen			
☐ Zur Übernahme von Tätigkeiten motivieren und anleiten			
☐ Angehörige, so weit wie möglich, über Pflege und Zustand informieren bzw. mit einbeziehen ☐ Siehe AEDL's			
☐ Arzt / Facharzt informieren **Einschalten weiterer Berufsgruppen**			
Sonstiges			

6.5 Suchterkrankung

Name:
Zimmer:

Datum:
Pflegekraft:

Probleme	Ressourcen	Ziele
☐ Hat einen erhöhten Alkohol- / Medikamentenspiegel	☐ Kann kommunizieren	☐ Ist fähig zum Leben in der Gemeinschaft
☐ Leidet unter Ernährungsmangel	☐ Ist kooperativ	☐ Hat Vertrauen
☐ Ist stuhl- / urininkontinent	☐ Ist kompromissbereit	☐ Fühlt sich wohl
☐ Vernachlässigt sein / ihr äußeres Erscheinungsbild	☐ Ist motiviert	☐ Fühlt sich geborgen
☐ Wird gemieden	Sonstiges	☐ Hat ein positives Selbstwertgefühl
☐ Hat Schlafstörungen / Unruhe		☐ Findet Alternativen zum Suchtmittel
☐ Hat Konzentrationsmangel		
☐ Ist unfähig, sich zu kleiden		☐ Für Sicherheit ist gesorgt
☐ Hat Wesensveränderungen und / oder Verhaltensveränderungen, z.B.		Sonstiges
☐ Halluzinationen		
☐ aggressives Verhalten		
☐ auffälliges Verhalten		
☐ Hat verändertes Temperaturverhalten		
☐ Hat Sprach-, Wahrnehmungs-, Verständigungsstörungen		
☐ Hat gestörte Selbsteinschätzung		
☐ Lebt in seiner / ihrer eigenen Traumwelt / leidet unter Realitätsverlust		
☐ Leidet unter dem Verlust von Lebenssinn		
☐ Lehnt alle Pflegeaktivitäten ab		
☐ Verliert Hemmungen / moralische Orientierung		
☐ Befindet sich in finanzieller Notlage		
☐ Lehnt Aktivitäten in der Gruppe ab		
☐ Ist unfähig, normale Nahrung aufzunehmen		
☐ Leidet unter Eifersuchtswahn		
☐ Hat einen Tremor		
☐ Leidet unter unphysiologischen Bewegungsabläufen		
Sonstiges		

Maßnahmen	PS	Häufigkeit	Form der Hilfe
☐ Maßnahmen nach ärztlicher Verordnung durchführen / über Verlauf informieren ☐ Bewohner und Angehörige über Pflegemaßnahmen informieren / einbinden ☐ Tagesstrukturen anbieten / vereinbaren ☐ Sinngebung / Erfolgserlebnisse vermitteln / Lob aussprechen ☐ Einüben von Alltagskompetenzen ☐ Diskretes Beobachten des Suchtverhaltens ☐ Konsequentes Einhalten von Absprachen ☐ Zur selbstständigen Übernahme von Tätigkeiten motivieren und auf Durchführung achten ☐ Aufgaben im Wohnbereich / in der Einrichtung anbieten (z.B. Botengänge, Wäschetransporte, Gartenpflege, u.a.)			
Einschalten weiterer Berufsgruppen			
Sonstiges			

6.6 Leberzirrhose

Name:
Zimmer:
Datum:
Pflegekraft:

Probleme	Ressourcen	Ziele

☐ Darf keinen Alkohol zu sich nehmen
☐ Leidet unter Leistungsverlust
☐ Ist psychisch verstimmt
☐ Leidet unter Gewichtsverlust
☐ Leidet unter Übelkeit, Druck- oder Völlegefühl im Oberbauch
☐ Leidet unter Gelbfärbung der Haut
☐ Leidet unter Ödemen
☐ Hormonelle Störungen, wie
    ☐ Verlust der Sekundärbehaarung
    ☐ Potenzstörungen
    ☐ Menstruationsstörungen
☐ Psychische Veränderungen wie
    ☐ Verwirrtheitzustände
    ☐ körperlicher Abbau
    ☐ intellektueller Abbau
    ☐ Stimmungsschankungen
 	
☐ Leidet unter Atemnot
☐ Leidet unter Bewegungseinschränkung
☐ Leider unter der Gewissheit nicht mehr gesund zu werden
☐ Angst vor Diskriminierung
 	
Sonstiges
	☐ Ist kooperativ
	☐ Kann Kommunizieren
	☐ Kennt Krankheitsbild
	☐ Kann seine / ihre Angst kontrollieren
	☐ Nimmt Hilfsmittel an
	☐ Ist orientiert
	☐ Ist zugänglich
	☐ Ist offen für medikamentöse Behandlung
	
	Sonstiges
		☐ Nimmt Hilfe an
		☐ Selbstständigkeit und Mobilität sind so lange wie möglich erhalten
		☐ Findet Alternativen zum Suchtmittel
		☐ Kann sich mit der Krankheit auseinander setzen
		
		Sonstiges

Maßnahmen	PS	Häufigkeit	Form der Hilfe
☐ Maßnahmen nach ärztlicher Verordnung durchführen ☐ Linderung der Symptome, durch Ausschalten schädlicher Faktoren, z.B. Alkohol ☐ Ausgewogene leicht verdauliche Kost anbieten ☐ Wertschätzender Umgang / Verhalten (Validation) ☐ Ruhiger Umgang / eindeutige Anleitung geben ☐ Auf Grenzen hinweisen (Selbst- und Fremdschutz) ☐ Ständige Krankenbeobachtung und Austausch mit dem Arzt ☐ Gespräche führen ☐ Siehe AEDL's 1 bis 13			

Einschalten weiterer Berufsgruppen

_____

_____

Sonstiges

_____

_____

_____

_____

_____

_____

6.7 Hirnorganisches Psychosyndrom

Name: Datum:

Zimmer: Pflegekraft:

Probleme	Ressourcen	Ziele
Der Bewohner / Der Patient ☐ neigt zu akuten Verwirrtheitszuständen ☐ hat Trugwahrnehmungen ☐ leidet unter zwanghaftem und wahnhaftem Verhalten ☐ leidet unter motorischen Unruhezuständen ☐ ist agressiv ☐ schreit ☐ schlägt ☐ beißt ☐ zeigt Weglauftendenzen ☐ zieht sich aus ☐ schmiert mit Kot ☐ zeigt ein nicht situationsgemäßes sexuelles Verhalten ☐ ist depressiv ☐ leidet unter Störungen des Tag-Nacht-Rhythmus ☐ spricht mit reduziertem Wortschatz, monotones Singen, Rufen Sonstiges	**Der Bewohner / Der Patient** ☐ akzeptiert das Krankheitsbild ☐ ist einsichtig ☐ arbeitet aktiv mit ☐ **kann mit Hilfe stehen** ☐ **kann mit Hilfe sitzen** ☐ **kann mit Hilfe Treppensteigen** Sonstiges	☐ Verwirrtheitszustand ist vermieden (Demenz dadurch ausgeschlossen) Sonstiges

Maßnahmen	PS	Häufigkeit	Form der Hilfe
☐ Fachärztliche Abklärung des Krankheitsbildes veranlassen ☐ Wertschätzender Umgang / Verhalten (Validation) ☐ Ruhiger Umgang / eindeutige Anleitung geben ☐ Auf Grenzen hinweisen (Selbst- und Fremdschutz) ☐ Ständige Krankenbeobachtung und Austausch mit dem Arzt			

Einschalten weiterer Berufsgruppen

_____

_____

Sonstiges

_____

_____

_____

_____

_____

_____

_____

_____

_____

_____

_____

6.8 Wahnvorstellungen

Name:
Zimmer:
Datum:
Pflegekraft:

Probleme	Ressourcen	Ziele
Vergiftungswahn ☐ Hat verändertes Verhalten ☐ Isst und trinkt nur bestimmte Dinge (dadurch keine ausgewogene Ernährung) ☐ Ist misstrauisch ☐ Hat Angst ☐ Verweigert die Aufnahme von Nahrung / Medikamenten **Religiöser Wahn** ☐ Hat Angst vor Versagen und Strafe ☐ Leidet unter Schuldgefühlen ☐ Ist unruhig **Verfolgungswahn** ☐ Fühlt sich verfolgt (Polizei, Geheimdienst) ☐ Leidet unter einer ausgeprägten Unruhe ☐ Hat Angst und baut darum Sicherheitssysteme auf ☐ Leidet unter Schlafstörungen **Verarmungswahn** ☐ Hat Angst ☐ Leidet unter Sammeltrieb ☐ Übersteigerter Geiz ☐ Verweigert die Teilnahme an Angeboten aus Kostengründen **Bestehlungswahn** ☐ Fühlt sich bestohlen ☐ Hat ständig Angst, bestohlen zu werden (Geld, Haus, Lebensmittel) ☐ Versucht sein Eigentum zu sichern ☐ Misstrauen ☐ Wiederbeschaffung von Eigentum (Verlustausgleich) Sonstiges	☐ Akzeptiert Bezugsperson ☐ Akzeptiert Therapien ☐ Kann sich beschäftigen ☐ Ist offen für Beschäftigungsangebote Sonstiges	☐ Ist abgelenkt durch Beschäftigung ☐ Fühlt sich ernst genommen ☐ Fremd- und Selbstgefährdung ist vermieden ☐ Die Körperhygiene ist ausreichend / angemessen ☐ Krise ist entschärft ☐ Beruhigung ist eingetreten ☐ Angst ist reduziert Sonstiges

Maßnahmen	PS	Häufigkeit	Form der Hilfe
☐ Ängste reduzieren durch verständnisvolles Zuhören und Begleiten des Bewohners (Wahn ernst nehmen) ☐ Ablenken und einbeziehen in die Aktivitäten des täglichen Lebens ☐ Soziale Kontakte fördern, Patienten zu nichts zwingen ☐ Angehörige über Wahnsymptome aufklären und in Maßnahmen einbeziehen ☐ Arzt über Medikamentenwirkung informieren ☐ Medikamentenabgabe nach ärztl. Verordnung ☐ Ruhephase für den Bewohner einplanen ☐ Tagesstruktur festlegen **Einschalten weiterer Berufsgruppen** _____ _____ _____ Sonstiges _____ _____ _____ _____ _____ _____ _____ _____ _____ _____ _____			

6.9 Depression

Name:
Zimmer:
Datum:
Pflegekraft:

Probleme	Ressourcen	Ziele
Gehemmte Depression ☐ Ist antriebsarm (Apathie) ☐ Vernachlässigt sein / ihr Äußeres ☐ Hat ein schwaches oder fehlendes Selbstwertgefühl ☐ Fehlender Antrieb zum Aufstehen **Agitierte Depression** ☐ Läuft ruhelos und ziellos umher ☐ Macht sich ständig bemerkbar, bedarf ständiger Aufmerksamkeit ☐ Stellt stereotype Fragen ☐ Klagt und jammert laut, oft ohne Unterbrechung ☐ Leidet unter massiven Selbstzweifeln ☐ Hat Minderwertigkeitsgefühle ☐ Hat Angst vor Anforderungen ☐ Leidet unter innerer Leere und Sinnlosigkeit ☐ Ist vereinsamt durch inneren Rückzug ☐ Leidet unter Todeswünschen und neigt zum Selbstmord Sonstiges	☐ Kann kommunizieren / ist kommunikativ ☐ Ist kooperativ ☐ Kann lesen ☐ Kann sich beschäftigen ☐ Nimmt Hilfen an ☐ Ist fähig zum aktiven Leben in der Gemeinschaft ☐ Ist gruppenfähig ☐ Erinnert sich an frühere Gegebenheiten (Langzeitgedächtnis) ☐ Ist gesellig ☐ Nimmt an dem gesellschaftlichen Leben teil ☐ Beherrscht Bewältigungsstrategien ☐ Hat soziale Kontakte ☐ Ist gutmütig und offen ☐ Lässt sich durch eine Vertrauensperson positiv motivieren Sonstiges	☐ Bewältigt / beherrscht / kontrolliert seine / ihre Ängste ☐ Hat / erfährt Erfolgserlebnisse ☐ Hat ein positives Selbstwertgefühl ☐ Nimmt regelmäßig seine / ihre Medikamente unter Aufsicht ein ☐ Suizid ist vermieden ☐ Selbstständigkeit und Eigenaktivität sind gefördert Sonstiges

Maßnahmen	PS	Häufigkeit	Form der Hilfe
☐ Beschäftigungstherapie anbieten			
☐ Ängste reduzieren durch verständnisvolles Zuhören und Begleiten des Bewohners			
☐ Ablenken und einbeziehen in die Aktivitäten des täglichen Lebens			
☐ Motivieren, sich zu bewegen			
☐ Soziale Kontakte fördern, Bewohner / Patienten zu nichts zwingen			
☐ Angehörige über Depression aufklären und in Maßnahmen einbeziehen			
☐ Überwachen der ärztlichen Anordnung (z.B. Schlafentzug)			
☐ Arzt über Medikamentenwirkung informieren			
☐ Medikamentenabgabe nach ärztl. Verordnung			
☐ Tagesstruktur festlegen			

Einschalten weiterer Berufsgruppen

Sonstiges

6.10 Osteoporose

Name:
Zimmer:
Datum:
Pflegekraft:

Probleme	Ressourcen	Ziele

☐ Hat Dauerschmerz: Knochen- / Muskelschmerzen
☐ Ist bewegungseingeschränkt
☐ Hat körperliche Veränderungen (z. B. Witwenbuckel)
☐ Hat verstärkte Knochenbruchneigung
☐ Neigt zu Spontanbrüchen
☐ Ist aufgrund von Schmerzen bettlägerig, dadurch Gefahr von Folgeerkrankungen:
  ☐ Dekubitus
  ☐ Thrombose
  ☐ Kontrakturen
  ☐ Obstipation
  ☐ Pneumonie
☐ Hat Schlafstörungen
☐ Nimmt seltener am gesellschaftlichen Leben teil
☐ Hat Kachexie
 	
Sonstiges
	☐ Hat seine / ihre Krankheit angenommen / akzeptiert sie / kann mit ihr leben
	☐ Hat eine positive Lebensauffassung
	☐ Positive Grundstimmung, unterstützt die aktiven Maßnahmen
	☐ Kann mit Schmerzen umgehen (erhöhte Schmerztoleranz)
	☐ Hat Kontakte zu Bezugsperson
	☐ Ist im Rahmen seiner / ihrer Möglichkeiten integriert
	☐ Ist motiviert zur aktiven Mitarbeit
	☐ Nimmt Anteil am öffentlichen Leben innerhalb und außerhalb der Einrichtung
	
	Sonstiges
		☐ Ist weitgehend schmerzfrei
		☐ Hat eine verbesserte Muskelkraft
		☐ Hat einen ausgewogenen Ernährungszustand
		☐ Hat einen ungestörten, ausreichenden Schlaf
		☐ Die Beweglichkeit der Gelenke ist / wird aufrechterhalten
		☐ Folgeerkrankungen sind vermieden
		  ⇨ Dekubitus
		  ⇨ Thrombose
		  ⇨ Kontrakturen
		  ⇨ Obstipation
		  ⇨ Pneumonie
		☐ Gefahren sind vermieden
		☐ Spontane Knochenbrüche sind vermieden
		☐ Stürze sind vermieden
		☐ Verordnete Therapie vom Arzt ist sichergestellt
		☐ Freude und Motivation sind erhalten
		
		Sonstiges

Maßnahmen	PS	Häufigkeit	Form der Hilfe
☐ Maßnahmen nach ärztlicher Verordnung durchführen ☐ Ständige Krankenbeobachtung und Austausch mit dem Hausarzt ☐ Passive / aktive Bewegung durchführen (in Pflegemaßnahmen integrieren) ☐ Zur Teilnahme am gesellschaftlichen Leben motivieren ☐ Prophylaxen durchführen zur Vermeidung von Folgeerkrankungen:			
☐ Anleitung und Unterstützung im Umgang mit Hilfsmitteln geben ☐ Ablenken und einbeziehen in die Aktivitäten des täglichen Lebens			
Einschalten weiterer Berufsgruppen			
Sonstiges			

7. Muster einer Pflegeplanung

Name: *Musterfrau*   Datum:

Zimmer: Pflegekraft:

Probleme	Ressourcen	Ziele
Oberschenkelhalsbruch Künstliches Hüftgelenk Demenz		
Kommunikation / Orientierung **Hören:** - Schwerhörig - Hörgerät wird nicht benutzt **Sprechen:** - Sprachstörungen (stottern, stammeln, Wortfindungsstörungen) **Orientierung:** - Zeitlich nicht orientiert - Persönlich teilweise orientiert - Örtlich nicht orientiert	**Hören:** - Verständigung durch lautes / deutliches Sprechen möglich **Sprechen:** - Sprachfähigkeit teilweise erhalten **Orientierung:** - Persönlich teilweise orientiert	Förderung Erhaltung Vermeidung weiterer Defizite
Sich bewegen **Kann nicht:** - Gehen - Treppensteigen **Bettlägerigkeit:** - Kann nicht selbstständig aufstehen / Zubettgehen **Bewegungsstörungen:** - Leidet unter Bewegungsarmut / Bewegungsmangel	Kann mit Hilfe stehen	Förderung Erhaltung Vermeidung weiterer Defizite

Maßnahmen	PS	Häufigkeit	Form der Hilfe	Wer
Hören: - Betont artikulierend sprechen - Nonverbale Kommunikation - Blickkontakt herstellen		Immer Immer Immer		
Sprechen: - Blickkontakt herstellen - Aktives Zuhören		Immer Immer Immer		
Orientierung: - Teilweise Beaufsichtigung des Bewohners				
Hilfestellung beim Stehen (zwei Pflegekräfte erforderlich)		2-3x	VÜ	PK
Vollübernahme des Transfers				
- Bett		2x	VÜ	PK
- Rollstuhl		3x	VÜ	
- Toilettenstuhl		3x	VÜ	
Zwei Pflegekräfte erforderlich			VÜ	

85

Probleme	Ressourcen	Ziele
Vitale Funktionen **Wärme- und Kälteempfinden** - Hat ständig kalte Füße - Durchblutungsstörungen - Mattigkeit	Nimmt Hilfestellung an Kann sich mitteilen Ist teilweise mobil Kann Flüssigkeit zu sich nehmen	Förderung Erhaltung Vermeidung weiterer Defizite
Sich pflegen **kann sich nicht:** - Waschen - Duschen - Baden - Mund pflegen - Zähne pflegen - Prothese pflegen - Haare waschen - Ohren-Nasen-Augen pflegen - Rasieren - Fuß- und Fingernägel pflegen **Hautzustand** - Dünne, trockene Altershaut	Kann mit Anleitung selbstständig Gesicht waschen Kann sich teilweise mitteilen	Förderung Erhaltung Vermeidung weiterer Defizite
Ausscheiden - Urin- und Stuhlinkontinenz - Leidet teilweise unter Obstipation - Kann Toilette nicht selbstständig benutzen - Kann Toilettenstuhl nicht selbstständig benutzen	Trinkt ausreichend	Förderung Erhaltung Vermeidung weiterer Defizite

Maßnahmen	PS	Häufigkeit	Form der Hilfe	Wer
Verabreichung der verordneten Medikamente		3x	VÜ	Pfk
Unterstützung bei Ausführung der ärztlichen Anordnungen		Bei Bedarf	VÜ	
Temperaturmessung		Bei Bedarf	VÜ	
Beruhigende Gespräche führen		Immer		
Duschen / Baden		1x Woche		
Pflege von:				
- Gesicht		3x		
- Armen		1x		
- Beinen		1x		
- Mund / Zähnen / Prothese		1x		
- Intimbereich		3-4x		
Frisur				
- Kämmen		2-3x		
Notwendigkeit der Körperpflege erklären		Immer		
Behandlung von Hautdefekten (Risse, Dekubitus) nach Anordnung des Arztes (Einreibung, Wundversorgung)		Bei Bedarf		
Einschalten weiterer Berufsgruppen (Friseur/in, Fußpfleger/in)		1x Monat		
Bereitstellen von Toilettenstuhl		3-4x		
Intimpflege		3-4x		
Medikamente nach ärztlicher Anordnung		2x		

Probleme	Ressourcen	Ziele
Sich kleiden Kann sich nicht - Ankleiden - Auskleiden Aufgrund von: - Versteifungen - Desorientiertheit Notwendigkeit des Wäschewechsels wird nicht bemerkt	Nimmt Hilfe an Ist teilweise zur Kommunikation fähig Ist teilweise orientiert	Förderung Erhaltung Vermeidung weiterer Defizite
Ruhen und Schlafen Hat Einschlafstörungen aufgrund von - Innerer Unruhe - Ängsten, Sorgen, Trauer	Akzeptiert Hilfsmittel (Inkontinenzversorgung, Bettgitter)	Förderung Erhaltung Vermeidung weiterer Defizite
Sich beschäftigen - Kann seinen / ihren Tagesablauf nicht selbstständig gestalten - Kann ihm / ihr wichtige Tätigkeiten nicht mehr ausführen - Ist gelangweilt - Selbstständiges Einkaufen nicht möglich - Kann frühere Hobbys nicht mehr ausüben Aufgrund von: - Desorientiertheit - eingeschränkter Beweglichkeit	Äußert Wünsche Kann Hilfsmittel teilweise selbstständig benutzen Liest gerne Geht gerne zum Gottesdienst	Förderung Erhaltung Vermeidung weiterer Defizite
Sich als Mann / Frau fühlen - Lehnt Pflege durch andersgeschlechtliche Pflegekraft teilweise ab	Kann Wünsche äußern Kann sich mitteilen	Förderung Erhaltung Vermeidung weiterer Defizite

Maßnahmen	PS	Häufigkeit	Form der Hilfe	Wer
Tageskleidung ohne Bewohnerin richten Ankleiden Auskleiden		Immer 1x 1x	VÜ VÜ VÜ	
Medikamentenabgabe nach ärztlicher Anordnung Tagesstruktur überprüfen ggf. verändern Auf das Ruhebedürfnis tagsüber eingehen		2x Bei Bedarf Immer	VÜ VÜ VÜ	
Kontakte fördern Beschäftigungstherapie anbieten / einbeziehen / ermöglichen Kontakte unter den Bewohnern fördern Teilnahme an Festen und Feiern ermöglichen Zeitung austeilen Auf frühere Hobbys eingehen sowie ermöglichen		Immer Immer Immer Immer Immer Bei Bedarf		
Gleichgeschlechtliche Pflege - wenn gewünscht - sicherstellen Dauerhafte Bezugsperson zur Wahrung der Intimsphäre ermöglichen Kontakte unter den Bewohnern fördern		Immer Immer Bei Bedarf		

Probleme	Ressourcen	Ziele
Sichere Umgebung kann Gefahren nicht erkennen - Hitzequellen (teilweise) - Findet sich in seiner / ihrer Umgebung nicht zurecht Kann seinen / ihren Tagesablauf zeitlich nicht strukturieren	Vertraut den Pflegenden Vertraut auf Hilfsmittel	Förderung Erhaltung Vermeidung weiterer Defizite
Soziale Bereiche sichern Hat keine Bezugsperson Fühlt sich isoliert Desorientiertheit Körperliche Behinderung	Nimmt Hilfestellung und Unterstützung an Liest gerne Zeitschriften	Förderung Erhaltung Vermeidung weiterer Defizite
Existenzielle Erfahrungen Fühlt sich abgeschoben Fühlt sich wertlos Sieht in seinem / ihrem Leben keinen Sinn **Leidet unter dem Verlust** - der Eigenständigkeit - des Partners bzw. der Trennung - der Bezugsperson **Hat Angst vor:** - Einsamkeit - Isolation Leidet unter unbewältigten Erlebnissen (Krieg, Tod, etc.); Hadert mit Gott und der Welt	Nimmt Hilfen an Hat teilweise Vertrauen Findet Kraft und Halt Kann seine / ihre Gefühle mitteilen Kann trauern	Förderung Erhaltung Vermeidung weiterer Defizite
Änderungen / Ergänzungen		

Maßnahmen	PS	Häufigkeit	Form der Hilfe	Wer
Fixierungen nach Einverständnis (Bewohner/in bzw. Richter)		3x	VÜ	
- Bettgitter		3x	VÜ	
- Bauchgurt		3x	VÜ	
- Schlafsack		3x	VÜ	
- Medikamentenabgabe nach Anordnung des Arztes				
Kontakte zu Gruppen, Mitbewohnern, Angehörigen, Pfarreien anbieten und vermitteln		Bei Bedarf		
Orientierungshilfen geben (Bilder, Uhr, Kalender, etc.)		Immer		
Situationsbezogene Gespräche führen		Immer		
Zeitungen anbieten		Immer		
Zur Teilnahme an Aktivitäten (Feste, etc.) motivieren		Immer		
Situationsbezogene Gespräche führen		Bei Bedarf		
Aktives Zuhören, Bestätigung und Anerkennung geben		Immer		
Regelmäßige Kontakte zur/m Seelsorger/in sicherstellen		Bei Bedarf		
Vertrauen und Sicherheit geben		Immer		
Besuche ermöglichen / vermitteln		Bei Bedarf		

Das Modell der Aktivitäten und existenziellen Erfahrungen (AEDL) nach Monika Krohwinkel

Monika Krohwinkel ist Professorin für Pflege. 1984 veröffentlichte sie erstmals ihr konzeptionelles Modell »Aktivitäten und existenzielle Erfahrungen des Lebens« (AEDL). Das Modell wurde in einer 1991 abgeschlossenen Studie erprobt und weiterentwickelt.

Das Modell der »Aktivitäten und existenziellen Erfahrungen des Lebens« (AEDL) ist ein Bedürfnismodell. Diese Bedürfnisse und Fähigkeiten werden in 13 AEDL eingeteilt. Wobei die ersten 11 AEDL sich mit den »Aktivitäten des täglichen Lebens (ATL) nach *Roper*« vergleichen lassen.

AEDL: Aktivitäten und existenzielle Erfahrungen des Lebens	
Aktivitäten des Lebens realisieren können	**Mit existenziellen Erfahrungen des Lebens umgehen können**
• Kommunizieren können • Sich bewegen können • Vitale Funktionen aufrecht erhalten können • Essen und trinken können • Ausscheiden können • Sich pflegen können • Sich kleiden können • Ruhen, schlafen und sich entspannen können • Sich beschäftigen lernen und sich entwickeln können • Sich als Frau oder Mann fühlen und verhalten können • Für eine sichere und fördernde Umgebung sorgen können • Soziale Beziehungen und Bereiche sichern und gestalten können	• Existenz fördernde Erfahrungen sammeln können • mit belastenden und gefährdenden Erfahrungen umgehen können • Erfahrungen, welche die Existenz fördern und gefährden können, unterscheiden und sich daran entwickeln können

Abb. 1: Fähigkeiten in den Aktivitäten und existenziellen Erfahrungen des Lebens nach Krohwinkel (1998. S.141)

Die 13 AEDL-Bereiche sind nie getrennt voneinander zu begreifen. Sie stehen immer in einer wechselseitigen Beziehung zueinander und bedingen sich.

In diesem Buch wird auf die einzelnen AEDL-Bereiche eingegangen. Die Formulierungen sind nie vollständig, sondern dienen als Beispiel. Sie sind in Abhängigkeit von der aktuellen Pflegesituation des Bewohners/Patienten im Bedarfsfall zu ergänzen bzw. zu erweitern.

Literaturangaben

Barth, Myriam; Qualitätsentwicklung und -sicherung in der Altenpflege; Urban & Fischer Verlag, München 1999

Budnik, Birgitt; Pflegeplanung leicht gemacht; Urban & Fischer Verlag, 2. Auflage. München 1999

Ehmann, Marlies; Völkel, Ingrid; Pflegediagnosen in der Altenpflege; Urban & Fischer Verlag, München 2000

Krohwinkel, M.: Fördernde Prozesspflege – Konzepte, Verfahren, Erkenntnisse. In: Osterbrink, J. (Hrsg.): Erster internationaler Pflegetheoriekongress Nürnberg 1998, S. 141.

Seel, Mechthild; Die Pflege des Menschen; Brigitte Kunz Verlag, 3. Auflage. Hagen 1999

Seel, Mechthild; Die Pflege des Menschen im Alter; Brigitte Kunz Verlag, 2. Auflage. Hagen 2001

Sozialgesetzbuch (SGB) für die Praxis Rudolf Haufe Verlag, Freiburg im Breisgau 1994

Völkel, Ingrid; Ehmann, Marlies; Spezielle Pflegeplanung in der Altenpflege; Urban & Fischer Verlag, 2. Auflage. München 2000

Stichwortverzeichnis

AEDL 10, 92
Angst 47
Ankleiden 34
Atmung 19
Auskleiden 34
Ausscheiden 30

Beschäftigen 38
Beschäftigungstherapie 39
Bestehlungswahn 84
Bettlägerigkeit 14
Bewegen 14
Bewegungsstörung 14
Bewegungsübungen 17
Bewusstsein 18

Demenz 74
Depression 80
Diabetes mellitus 58
Durchschlafstörungen 36

Einschlafstörungen 36
Erbrechen 31
Ernährungszustand 19
Essen 26
Existenzielle Erfahrungen 46

Fixierungen 43

Gangart 14
Gefahren 42
Gehen 14

Haarpflege 25
Hautzustand 23
Herz-Kreislauf 18

Hirnorganisches Psychosyndrom 76
Hören 10

Kälteempfinden 18
Kleiden 34
Kommunikation 10
Kontakte 39, 44
Koordinationsstörungen 14
Körperpflege 24
Krankheitsbilder 58
Krohwinkel 10, 92

Lagerung 16
Leberzirrhose 74

Oberschenkelhalsbruch 84
Orientierung 10
Orientierungshilfen 45
Osteoporose 82

Parkinson 64
Pflegedokumentation 8
Pflegemaßnahmen 9
Pflegen 22
Pflegeplanung 9
 – Muster 90
Psychosyndrom 76

Qualitätssicherung 8

Ruhen 36

Schlafen 36
Schlaganfall 60
Schluckstörungen 26

Sehen 10
Selbstgefährdung 42
Sexualität 40
Sich pflegen 22
Sorge 46
Soziale Bereiche 44
Sprechen 10
Stehen 14
Stuhl 30
Suchterkrankungen 78

Tagesablauf 38
Transfer 16
Trinken 26

Umgebung 42
Urin 30

Verarmungswahn 78
Verfolgungswahn 78
Vergesslichkeit 62
Vergiftungswahn 78
Verlust 46
Verwirrtheit 74
Vitale Funktionen 18
Vorgehensweise 7

Wahnvorstellungen 78
Wärmempfinden 18
Waschen 22

Ziele 8
Zielformulierungen ff. 50

Das PC-Programm zum Buch!

Stefanie Hellmann

Pflegeplanung

Formulierungshilfen nach den AEDL

2002. CD-ROM für PC, MS-Excel-Dokument,
Systemvoraussetzungen: Windows 98 / NT 4.0 / 2000, MS Excel 97 oder später
ISBN 3-87706-722-0
€ 125,–/sFr 198,– (UVP)

Diese CD-ROM bietet das komplette Instrumentarium für eine sinnvolle, Zeit und Kosten sparende Pflegeplanung: Formulierungshilfen, individuell für jeden Patienten, anhand der AEDL, in einer klaren und einfach zu lernenden Form.

Das Programm lässt sich leicht bedienen. Es ist für alle Mitarbeiter verständlich und eine kostengünstige Alternative auf dem Software-Markt.

Aus dem Inhalt
- Erstellen eines Pflegeplans anhand der AEDL
- Verwalten von Patientendaten
- Pflegeanamnese (Probleme, Ressourcen des Patienten, Ziele)
- Maßnahmenplanung
- Export des Pflegeplans als Excel-Dokument

Die Autorin
Stefanie Hellmann ist Altenpflegerin und derzeit Pflegedienstleitung in einem Pflegeheim. Sie studiert berufsbegleitend Pflegemanagement. Sie ist die Autorin des Buches »Formulierungshilfen für die Pflegeplanung nach den AEDL's«.

Detaillierte Informationen zum Programm (»Guided Tour«) erhalten Sie im Buchshop unter www.pflegen-online.de/html/hellmann.

Stand November 2003. Änderungen vorbehalten.

BRIGITTE KUNZ VERLAG

Stefanie Hellmann / Petra Kundmüller

Pflegevisite in Theorie und Praxis für die ambulante und stationäre Pflege

Checklisten für die praktische Anwendung und Schulungsunterlagen für die innerbetriebliche Fortbildung

2003. 72 Seiten, 21,0 x 29,7 cm, kartoniert
ISBN 3-87706-642-9
€ 12,90/sFr 21,90

Das Instrument der Pflegevisite ist ein praktikables Instrument für die gesetzlich vorgeschriebene interne Qualitätssicherung in Pflege-Einrichtungen. Dieses Buch zeigt für den Bereich der Altenpflege zum einen die Anwendung der »Pflegevisite« im Rahmen der Qualitätssicherung. Doch es geht um mehr: Bei der Pflegevisite geht es auch um den Anspruch der Einrichtungen, die eigene Qualität der erbrachten Leistungen zu sichern und weiterzuentwickeln.

Im Vordergrund steht dabei die Verbesserung der Zufriedenheit des Pflegebedürftigen und der Mitarbeiter. Mit der Pflegevisite werden auch die Qualität der geplanten und praktizierten Pflege und Begleitung gemessen. Zugleich eignet sich die Pflegevisite für die Vernetzung des jeweiligen Dienstleistungsangebotes.

Dieses praxisnahe Buch informiert über die Entwicklung und den Einsatz des Instruments »Pflegevisite«: in leicht verständlicher Sprache, mit vielen Checklisten und Folienvorlagen für die innerbetriebliche Fortbildung.

Aus dem Inhalt
- Aufbau und Inhalt des Standards Pflegevisite
- Praktische Anwendung der Pflegevisite
- Aufbau der Checkliste
- Erfahrungsbericht aus der Praxis / Vor- und Nachteile der Pflegevisite
- Schulungsunterlagen für die interne Fortbildung

Die Autorinnen
Stefanie Hellmann und Petra Kundmüller sind Dozentinnen für Pflegeberufe in Forchheim.

Stand November 2003. Änderungen vorbehalten.

BRIGITTE KUNZ VERLAG